文藝市場 カーマシヤストラ

第3巻

第3巻第10号（昭和2年10月）
第3巻第12号 第4巻第1号（昭和3年1月）

[監修] 島村 輝

ゆまに書房

『カーマシヤストラ』第３巻第 10 号。
『文藝市場』の巻号を継続。

『カーマシャストラ』第３巻第12号　第４巻第1号。

『文藝市場』『カーマシヤストラ』復刻刊行にあたって

監修　島村 輝

『叢書エログロナンセンス』シリーズは、戦前ジャーナリズム界の異才・梅原北明を中心とした「珍書・奇書」類のうち、発刊当時の事情やその後の年月の経過によって閲覧・入手の困難となった書物、とりわけ多く「発売禁止」等の措置を受けた雑誌類を中心にして、復刻刊行しようとするものである。

そのスタートとして、大正・昭和エログロナンセンスを牽引した出版人、梅原北明の代表的な雑誌『グロテスク』（一九二八・一一～一九三一・八）を復刻刊行した。また永く幻と謳われ、僅かに城市郎の発禁本コレクションに、その書影を確認するに留まっていた第二巻第六号（一九二九・六）も、無事これを発見し収録することができたのは幸運であった。

梅原北明の出版活動での到達点を『グロテスク』とするならば、その引火点は、同書肆より復刻刊行した『変態・資料』（一九二六～二八）であり、そして導火線となったのが、今回復刻となる、北明個人の編集となってからの『文藝市場』（一九二七・六～一〇）、上海にて出版されたとされる『カーマシヤストラ』（一九二七・一〇～一九二八・五）である。『カーマシヤストラ』が、本当に上海で発行されたのか、それとも日本国内での刊行をカムフラージュするためのものだったのかは定かでないが、一九二八年に上海より帰国後、北明は出版法違反で市ヶ谷拘置所に長期拘置される。そして、仮釈放の後『グロテスク』刊行の内容見本製作に着手するのである。

今回の復刻により、『変態・資料』『文藝市場』『カーマシヤストラ』『グロテスク』という、梅原が編集に携わった雑誌が揃うこととなる。

サブカルチャーの領域から、近代をそして現代を照射する貴重資料であり、すべての文学・文化に関心を持つ人々が、この復刻を手許に置かれることを心から希望する。

凡　例

◇本シリーズは、『文藝市場』（一九二七〈昭和二〉年六月～同年九月＊梅原北明個人編集時期）、『カーマシヤストラ』（一九二七〈昭和二〉年一〇月～一九二八〈昭和三〉年四月）を復刻する。

◇本巻には、『カーマシヤストラ』No.1 第3巻第10号（一九二七〈昭和二〉年一〇月三〇日発行）、『カーマシヤストラ』No.2 第3巻第12号 第4巻第1号（一九二八〈昭和三〉年一月二五日印刷）、『カーマシヤストラ』No.2別冊を収録した。

◇原本のサイズは、二一〇ミリ×一三八ミリである。

◇各作品は無修正を原則としたが、表紙、図版などの寸法に関しては製作の都合上、適宜、縮小を行った場合がある。

◇本文中に見られる現在使用する事が好ましくない用語については、歴史的文献である事に鑑み原本のまま掲載した。

◇本巻作成にあたって原資料を監修者の島村輝氏、ウェブサイト「閑話究題　XX文学の館」館主・七面堂究斎氏（http://kanwa.jp/xxbungaku/index.htm）よりご提供いただいた。記して深甚の謝意を表する。

目次

『カーマシヤストラ』No.1　第3巻第10号

Kama-Shastra.

Societe De Kama—Shastra.

1927. 11.

上海移轉改題號（第三巻第十號）

支那性的書物と解題の 張競生氏一派の仕事に就て

酒井潔

支那の性小說で最古のものは『雜事秘辛』だと云はれて居るが、私はまだ一見した事がないから、どんな內容の本であるか知らない。只其の書中に『陰溝渥丹』の十數字がある爲に子弟の讀むのを禁じたのだと聞いてゐる。

『京本通俗小說第二十一卷』これも古い本であるらしい。金瓶梅よりも前に出來たものと推定される。內容は金の海陵王の淫蕩生活から、遂に宋の爲に征討されるまでの經路を描寫したもので、篇中到る所に猛烈な場面が展開されて居る。海陵王が隋の煬帝の秘戲淫行を、より藝術的に敢行したと思へば大した間違はない、文學的價値は勿論稀少なものである。

先づ日本人間に最もよく知られて居る小說は左の如きものであらう

▽肉蒲團（一名『繪圖風流奇談』、『耶蒲緣』『覺悟禪』）

▽痴婆子傳（一名『痴婦説情傳』）

▽和尚奇緣（一名『灯草和尚傳』、『繪圖燈花夢全傳』）

▽桃花庵

▽情海奇緣

▽牡丹奇緣（一名『富貴緣』）

▽杏花天

▽金瓶梅

▽如意君傳

▽繡榻野史

右の内、最も有名であり、大作であり、名作であるものは、『金梅瓶』で 二三十種の異本がある。『多妻鑑』と云ふ活字本で非常に詳細な『金瓶梅』の解説本がある。同書の研究家には大に役立つ本である。『金梅瓶』が傑作である事は既に周知の事實であるから、今更此處で贅言しない。

文學的とか、藝術的とか云ふ點から見ずに、只興味本位で讀めば、『肉蒲團』、『和尚奇緣』、『杏花天』など素敵に面白いものである。これ等の中で『痴婆子傳』は比較的古代の文脈が巧みに用ゐられて、性交の描寫も凸凹で表はされ、他の諸書に比較してやや露骨でないのが取柄である。

『肉蒲團』は代表的の性小說、面白いと云ふ事にかけては首尾一貫、類書中の首位に置かる可きものであらう。解說を要しない程、私達には馴染の深い本である。『和尚奇緣』は玄之又玄、神怪的描寫、燈草會變成和尚、此の小和尚が長短自在に變化して、愛の冒險をおつ始めると云ふ筋。日本の豆男譚の原本になつて居る。婦人寶貝中の溶液が此の小和尚の糧だと云ふんだから甚だ面白い。

『牡丹奇緣』と『情悔奇緣』とは元々同一の書であるが、地名人名等は皆違へてある。前書の主人公は玉卿、後書の主人公は耕生と云ふ事になつて居る。物語の筋は全く同樣で、只前書が後書より詳しい丈の違ひである。此の書の日本譯が『鴛鴦譜』と云ふ題名の假綴本になつて上海から出版された事がある、（同書には『牡丹奇緣』の邦譯の外に日本物の性小說が一篇載せてある）此の本は大して面白いものではない。これから較べて見れば『杏花天』は遙かに面白い、悅生と云ふ青年の性生活史で、一寸「ベラミー」の樣な筋書である。悅生が全眞老師から種々の秘藥を授けられてから、其の藥の偉力によつて、次々に婦人を征服し、遂には富貴を得て目出度く世を終る迠の有樣を無遠慮至極に書き立ててある。

『繡榻野史』これは、春秋戰國時代を取り扱つたもので裏面的歷史の觀があつて、相當に興味がある。穆公の娘素娥が一夜神仙に會して、素女採戰法と緊牝丸を授かり、永久に處女の如き美貌を得て、男子を惱殺すると云ふ筋である。

以上擧げた樣な書物は、支那の性小說中、有名なものとして私達の常識になつて居るものであるから、これ以上の解說は不必要であらう、以下數種目新らしい書物を擧げて見やう。

▽繪圖觀音菴

▽繪圖續觀音菴

▽繪圖桃花記
▽繪圖續桃花記
▽株林野史
▽繪圖郎史
▽繪圖品花寶鑑
▽繪圖男女大魔術
▽隔牆紅杏記

『觀音菴』は秦公子と云ふ貴公子のアヴンチエール、を取扱つたもの、大して特徴のある本ではない。『株林野史』は前述の『繡榻野史』と全然同一書であるが、此の方は粤東小説社印行と云ふので、口繪に極めて刷の惡い裸體畫が二頁這入つて居る。此の樣に銅版の寫眞式口繪を入れるのは、最近の傾向らしい。

『繪圖郎史』は『繪圖新編變化小説如意郎君演義』と云ふ名もある。どんな本かと思つて讀で見ると『和尚奇緣』の異本だつた。多少內容の描寫は相違して居るが大體は同じ筋である主人公の小和尙が卽ち如意郎君と云ふ事になつて居る。『和尙奇緣』は二種の異本があると聞いて居るが、或は此の本がその異本の一つかも知れない。だが矢張り面白い本である事は受け合ふ。

『繪圖桃花記』桃花と云ふ美妓の半生を取り扱つた小說で仲々面白い。隨分巫山戲た描寫が至る所にある。第五回褪昆褌桃花怕羞。診脉象醫生戲弄。第六回驗內傷醫生咶陰戶。求成全知府出重金。美妓桃花が店小二と云ふ男の爲に、ひどい目にあつて怪我をする。其處で醫者を招いて診察させると、上半身には別に異常はない。それで下半身を調べる爲に褲を脫がせやうとすると、桃花が羞ぢて容易に取らない。どうやらこうやら承知させて胯間を覗くと、血が附着して居て模糊不明白である。其處で血を拭ひ去る爲に手巾を用ゐると、桃花は痛さに耐へ兼ねて泣き喚く。趙知府が心配して、請先生別法。すると醫者は趙知府に、舌で甜めて取るより方法はないと宣告する。此れを聞くと流石の趙知府も、如何に愛妾のものとはいへ、其處を甜める事はと躊躇する。所が醫者は平氣はもので、女子寶貝中の溶液こそ、全く天の降せる不老長生の靈藥であると云つて美妓桃花の……と云つた樣な事が書いてある。この本には續篇がある。

『隔牆紅杏記』これは新らしいもので丁度梅原氏の『性的珍聞史』に概當するものだと思ふ動作の描寫に露骨を避けて、テーマの面白さを以て價値づけて居る。皆短文で種々樣々な話題が取り入れてある。性的コントの豐富なのと、執擁でないのがいゝと思ふ。話の數も百二十程ある。或る意味で支那のデカメロンと云ふ事も出來やう。いづれ此書は飜譯して雜誌に連載するつもりである。

『繪圖男女大魔術』これはとても面白い本である。前書『隔牆紅杏記』を一層奇拔に露骨にしたもので、然し一言して仕舞へば箸にも棒にもかからぬ淫書ではあらうが、內容が現代物であり、裏面的風俗史の好材料になると云ふ點で相當價値のある本だと思ふ。興味本位で行けば滿點。例の上海名物『摩鏡』の記事も出て居る。老三老四二人、毎日至少脫褌二十多次。不然三四十次、他人之褌可著一年者。彼二人著三月卽破矣。こんな變な文句で記事は終つて居る。御想像がつきますか？

『繪圖品花寶鑑』大本八册。男色の本として有名である。これは一寸簡單に紹介出來ない他日充分誰かが解説する事と思ふ。

先づ此の位のものが、支那性小説の大體で此れ等の外にまだ澤山あるとは思ふが、目下の私には以上の物位しか解つて居ない。然し追々新らしい本も發見する事と思ふから其の度毎に御知らせする事にする。純然たる淫書以外の本で、性的描寫を含有して居る有名なものは、『笑府』、『笑林廣記』、其他の笑話本、『聊齋誌異』、『今古奇觀』等であらう。

一體淫書と云ふものは、日本の物でも、支那のものでも、西洋のものでも二三册讀んだ時は馬鹿に面白いが、澤山讀むとすぐ飽いて仕舞ふ。いくら複利法で計算して見た所で、高が男と女との肉的關係を千變萬化に描出する事は無理と云ふものである。結極は同じ事になつて仕舞ふ。支那の本だつて大抵は同じ様な筋を捏ねくり廻したもので、其の中へチヨイ〳〵奇々怪々な御伽噺的藥味が加へてあるので、相當面白く讀まれる詁である。血眼になつておまけに高い代價を取られて探し廻る程のものでない事を明言して置く。然しながら淫書の爲の淫書でなく、人間生活の深奥を描破する時、勢ひ筆が其處まで行つたと云ふものや、奇想天外的妙想の內に、一味露骨な性的描寫の加味してあるものには、非常に優れた本がある樣だ。そうした本こそ私達に必要なものだと思ふ。もう私達は普通の淫書からは卒業して居る筈だ。

偖てこれから筆を新にして紹介し度いのは、張競生氏一派の仕事である。いつかの日本の新聞に『北京大學教授張氏の著『性史』が官憲の忌諱に觸れ、著者張氏は北京から逃げ出した』と云ふ記事が出て居たのを覺へて居る方もあらうが、今私が紹介しやうとする張競生氏こそ卽ち「性史」の編著者張教授である。

張氏は目下上海に居て、盛んに同志と共に活動して居られる樣子である、猶氏は當地に自已專屬の書店を經營し、かなり勇敢に一派の著書を發行してゐる樣だ。左に張氏一派の重要な仕事を列擧して見やう。

▽性史

▽第三種水與

▽性部與丹田呼吸

以下は張氏編輯になれる西洋性慾書の飜譯である。世界名著性慾叢書、

▽同性愛研究　エリス著
▽裸體與性教育　右同
▽性期的現象（上卷）　右同
▽右同　（下卷）　右同
▽性衝動的分析（上卷）　右同
▽右同　（下卷）　右同
▽觸覺與性美的關係　右同
▽視覺與性美的關係　右同
▽愛底藝術方法　右同
▽嗅覺與性美的關係　右同
▽性弛放底機能　右同

これ等は勿論、エリスの抄譯である。然し日本式の骨抜きではない。肝要な所がすつぱりと譯されてある。啓蒙的書物には勿體ない位である。然もこれ等の本が堂々と店頭で賣られて居る點は、日本より餘程進んで居る。
此の外同書店で發賣されて居る注意すべき書は

▽性的崇拜　　張東民著
▽健康的性生活　　ＹＤ譯

『性的崇拜』は　Wall, Sex and Sex Worship の抄譯であつて、注意す可き書である。

以上の諸書の中で張氏を最も有名にしたのは『性史』である。又最もよく賣れた本も『性史』であらう。では餘程の名著かと思つて讀むと失望する。惡くすると淫書だと云はれさうである。（實際さう云はれて居た）内容は男女の性的告白を編輯したもので、其各々の文章について張氏が批評して居る。告白文がとても猛烈で、エリスの『性の心理』に出て來るものの如きでない。中には隨分怪しい告白もある樣で、古い淫書の筋書を其のまま取り入れたものもある。所が『性史』なるものは、普通正編五集と續編二集とが發行されて居る樣に思はれて居るが、實際の所、張競生氏の編になるものは『性史』第一集丈で、其の他は第一集の賣行を奇貨として、勝手に張氏の名を冠した僞物である。此點張氏も非常に氣にかかると見れて、『新文化』（同氏一派の機關雜誌で、權威あるものである。）第一卷第一號の一三一頁に、

張競生啓事（一）

現市上所賣性史第二集，係假我名，內容惡劣，價錢奇貴，會經涉訟，現已由調和人商妥，雙方和平了結，除賠償我個人名譽及存書銷燬外。並登報（由我名義，而報費則由假造者出，）將該書內容宣布於下以免買書者被騙。冒我名的性史第二集每篇之名及作者如下，

我之性生活——SW生

春風初度玉門關——映青

別有一番滋味在心頭——冠生

我的性經歷——志霄女士

佳境——我們的性交經歷——淪殿

我之同性戀愛——浮海客

附告

關於性史性藝一類的書、除性史第一集是我編者外（現已絶版）餘書皆是假冒。

以上の樣な斷り書きを出して、自分の編著と僞物とを區別して居る。『性史』第一集は北京大學教授哲學博士張競生先生編、北京優種社出版とあるが第二集以下は北京大學哲學博士小江平先生編とある。

『性史』第一集が評判になると、ソレッとばかりに類書が飛び出した。私の知つてる丈でも、次の樣なものがある。

▽性藝
▽新性史
▽性友

『性藝』は上下二卷物で、内容は張博士實驗史（張博士とは張競生氏ではない。）と云ふ事になつて居て、面白いと云ふ點では實際面白い。同書下卷の序の中に次の樣な文章がある。

性史徒空托言。性藝基於實驗。是兩書優劣之分點。

と云つて「性史」を貶して居るが、性藝は實驗に基くなぞは御笑ひ草である。其の他性に關する本は、丁度十年前の日本の樣に、ぞく〳〵出て居る樣だが、大低は『性史』式の性的生活告白で、大して傾聽す可き說もない樣だ。恰も日本の婦人雜誌の告白物を露骨に書いて、低級な讀書階級を釣るのと何等變りはない。尤も中華人の方が思ひ切つて書く丈、日本の婦人雜誌よりは十倍もましではあるが。

猶、『性』とか、『新性藝』とか云ふ小册子を巷間で時々見受けるが、よく見ると『性史』等と同じ內容の本に違つた表紙をつけたものであつた。

斯うした中にあつて、張博士一派丈は眞面目な研究を進めて居る樣である。先づエリスの完譯を計劃された事は推奬す可きで、張氏の言によれば三十册位の叢書になる豫定だとの事である。今日では既に十數册の飜譯が完成し、袖珍形の小册となつて發行されて居る。此の傾向は日本の十年以前とよく似て居る。大正三年に鷲尾氏達のエリスの飜譯が出て、あの當時は誰も彼も性の研究に夢中になつて、丸善のブック、ケースを引つかき廻した目下の上海が丁度其の當時の日本である。つまり第一期性の研究時代卽ち啟蒙時代である。從つて一般の研究は未だ幼稚の域を脱しない。張博士も、現在の中華の青年は澤田順次郎氏の物位ひに興味を持つて居ると苦笑しながら筆者に話された。

かかる有様であるから、私達は現在の張氏一派の仕事を以て、直ちに同氏等の全部だとする事は出來ない。張氏の立場としては自分の思ひ通りの研究を發表する事よりも、先づ第一に讀者を自分達のレベルまで引き上げる事が肝要である面倒な仕事である。然し幸ひに張博士は所謂支那式の學究ではない。最も活發な實際家である。中華斯界の第一人者として、先頭に立つには最も適當した人だと思ふ。

けれども仕事の性質上、張氏一派に對する官權の壓迫も隨分烈しいらしい。常に發賣禁止を食つてる樣だ。此の點私達の日本に於けると同樣である。同病相憐れむと云ふ譯でもないが、私達は張博士一派及び其の讀者に斯待と興味とを持つ。私達は張博士一派と握手する事によつて、私達の仕事がインターナショナル的になる第一歩を踏もうとしてゐる。張氏と私達は着々具體的の相談を進めて居る。其の結果は必ず近き將來に於て、何等かの形式を以て發表されるであらう。

以上で不完全ながら、支那の性的書物の解題と、現下の中華青年間に於ける性的研究の概要を略述したつもりである。論甚だ淺薄であつたが、何分着滬早々、西も東も解らぬ匆忙裡に筆を採つたのだから、意あまつて言葉足らず、思ふ樣に書けなかつた。

蛋十夜物語

第一夜

紅霓娘譯

私の胸中には、曾て、充分突發的興味を唆られた處の事件の成行を見極めやうといふ好奇心が、むら〳〵と湧き起りました。と同時に、優しい、しとやかなベラーさんの身の上が、なんとなく心配になつて參りました。

それ故、私は、出來るだけ注意して、彼女を煩はさず、私の居ることを感づかせぬやうに骨を折りました。でなければ、彼の若い淑女の工作所の區域内に住んで居やうとするには、必要に應じて、でゞたへのある時ならぬ襲撃を加へなければならなかつたからです。

神聖なる懺悔聽聞の師父に依つて、むでたらしく發見された爲めに、若い被保護者達が、悲慘な時間を費したことや、不幸なベラーさんの災難の始末を附けるからと云つて、師父に聖器所訪問の時刻を指定されたことについては、私は、強いて再び何事も申上げますまい。

兎も角、震へる足を、ふみしめ〳〵、氣力のない眼をして、恐怖し切つた娘さんは、寺院の玄關に參りまして、輕くノックしました。

すると、扉は直ぐと、開かれて、師父が戸口に現はれました。

導びかれるままに、ベラーさんは、中へ入りまして、威儀をただした、神聖な人の前に、靜立いたしました。

そして、暫時、二人の間に、惱ましい沈默が續きましたが、師父アムブロ－ズ（聖僧の名は斯く呼ばれるのでした）が先づ最初に口を切つて。

「わしの娘よ、おのしは間違ひなく、よく時間通りに來なさつた。速に悔悟せうとすることは、神樣のお許を得られる處の第一の心のひらめきを示すものなのぢやからのう！」

とかう申しました。

この情ある言葉に、ベラーさんは、勇氣を得ました、そして、心の重荷はも早下ろしたやうな感じがいたしました。

それから、師父アムブローズは、大きな、槲櫝をおほつた長座蒲團の上に、ドッカリと腰を下すと同時に、言葉を續けて。

「わしや隨分と考へましたぢや、そして、娘よ、わしや、おのしの身の爲に、澤山な有難いお經を讀んで差上げましたぢや◎なぜと云ふにのう、わしや、自分の良心を脅ふことが、出來ないことを知つたからぢやつたよ、で無いとの、おのしの親族である保護者の所へ行き、恐ろしい秘密をぶちまけて仕舞はにやならん、するとわしや結極いやな思をする計りなのぢやからのう。

といつて、茲で、彼は口をつぐみました。

ベラーさんは叔父さんが、大へん嚴格であることをよく知つて居りました、そして、其家に彼女は寄食して居りますので、これを聞くと氣もそぞろに轉倒いたしました。

師父は靜かに彼女の手をとつて、優しくベラーさんを已れの座つて居る席の方へ引寄せました、それ故、ベラーさんは、自然と、彼の前にひざまづきました。彼はベラーさんのなよやかな圓い肩に右手をかけながら、又話し出しました――

「然し、わしはの、そのやうな事を明るみへ出したが爲に、何んな恐ろしい事件が起るかといふ事を、想像して、少なからず心を痛めましたぢや、そこで、聖女様におすがりして、わしのなやんで居ることを解決して頂くやうにお願ひしましたぢや。すると聖女様はのう、この淨い聖堂を御被護なされると同様に、おのしが犯しなさつた罪を、叔父さまに知らさぬやうにするには、かうしたがよからうと、有難いお言葉を下さつたぢやよ。したが、第一に嚴く守らねばならぬことは、如何なことに對しても、全く從順であらねばならぬといふことをぢやつた。

　かう言はれて、ベラーさんは、その苦勞の種を消す手段のあるのを知つて、大層嬉びました。ですぐさま、師父の言ふことならば、どんな事でも從ひませうと、彼女は確く契ひました。

　若いベラーさんは彼の前にひざまづいて居ります。師父アムブローズは、大きな頭を、俯れた彼女の體の上に傾けて居ります。その頰は暖い紅色を以て染められ、するどい兩眼には、云ひしれぬ怪しげな炎が踊つて居ります。そして悔罪者の肩に置かれた彼の手は、かすかに震へを帶びて居りました。だが、彼の沈着な態度は未だ少しも亂れては居りません。

屹度、彼の胸中は、彼が滿足を得んとの爲め、これから戰はねばならぬと同時に、よてしまの道をたどらねばならぬが、何うしたら、その畏ろしい露見をふせぐことが出來やうかといふ、二つのなみやに充されて居ることとでありませう。

ともあれ、師父は、從順の價値を長々と說き始め、そして、聖堂に仕へる聖職者の導きに對しては如何に謙遜である可きかを語りました。

ベラーさんは、どんな事にも忍耐し、言ふ事を開くと、繰返し、繰返し契ひました。

彼此する中に、私は、聖僧が、ある禁せられたてとの犧牲者になるといふことを、明瞭に知ることが出來ました。然し、彼の心中に燃ね上つた御しにくい叛逆的精神は遂に、輝いた眼や、いやしい唇にまで、まざ〳〵と表はれて來るのを、見受けられました。

師父アムブローズは、美くしい悔罪者を、やさしく巳の方へと、除々に引寄せました。

彼ベラーさんの柔やかな兩腕は彼の膝の上に置かれ、彼女の顏は、神樣のお許しを受ける爲め、殆んど彼女の兩手の中に沈んで居ります。

「さて、吾が子よ」

と聖者は續けて語り出しました。

「聖女樣が御示しなされた事柄の謎を、おのしにお話するのは、丁度、今がその好い時期ぢや、それは外でもない、わしのみがあんたの罪を發く、發かぬの鍵を持つて居るのぢやといふのぢやよ。わしの胸の中には情慾に捕はれたものの救助に盡さねばならぬといふ精神があふれて居りますのぢや、それからの、聖堂に仕へる聖職者は人の秘密を公言することを確く禁ぜられて居りますのぢや、ぢやによつて、誰れでも、安心してそれにたよることが出來るといふことは、想像がつきますぢやらう。そうして聖職を與へられて居る者は、曾つて一度は、肉體的救罪道を踏むで人々の中から、特に撰ばれた極くわずかの人に限られて居りますのぢや。――かく撰ばれた者に對しては、神樣が極秘密に吾々宗教的團體に依つて、地上の願ひをかなへさせるやうに、嚴肅な聖務をお命じなされたのぢや。おのしはのう。

といつて一段と聲をひそめ、師父アンブローズは、ベラーざんに耳うちをしました。その聲音は言ひ知れぬ或る感情のために、いささか震へを帶びて居ります。そして彼の大きな手は、何時か懺罪者の肩を輕くすべつて、そのやさしい胸のはうへ行つて居りました。

「おのしはのう、旣に一度性交の最大興味を經驗して居られるから、この聖堂を引受る資格が充分にありますぢや。そするとのう、おのしの罪は消滅し、赦免されるばかりでなく、今後正當にあの肉の最高愉悅を味ふことが出來、全身を威壓する樣な大快樂に浸ることが出來、又、何時でもおのしは聖女樣の忠實な奉仕者の中からその相手を探し出すことが出來ませうぞ。

まだその外に、おのしは肉的快樂に充ち々々た、情痴海を安々と泳ぐことが出來ますのぢや――不自然な戀の罰刑を受けずとも―ゆつくり羽を延ばしてのう。

おのしの罪は、聖堂に、おのしの美くしい肉體を捧げる度每に、輕減されますのぢや、聖女樣にのう―！そして神樣から種々有難いおめぐみを蒙ることを證明されますのぢや、―！加之ならず、ベラーさんよおのしの熱烈な感情を分つ時、おのしの美くしいその全身に云ひしれぬ快樂を益々惹起することが出來ませうぞ。

ベラーさんは、このやうな狡猾な提案に驚きと滿足の目を見張りながら、ジツと聞き入つて居りました。

そして、その話に對してはなやかな想像を廻らして居りましたベラーさんの身內には、いつともなしに、烈しいみだらな衝動が、スク〳〵と頭を持上げて參りまた——何うしてそれが彼女にがまんが出來ませう！

欲ねんなる僧侶は、ベラーさんを手安く己れの方へ引寄せ、長い〻〻、そして燃ゆるやうな接吻を彼女の脣に與へました。

「聖母さま」

とベラーさんは、感極まつた聲でつぶやきました、彼女の性的本能はいやが上にも加はつて參りました、

「これは餘りにもつたいなさ過ぎます——妾は餘程——アレモウ——妾はどうしてよいやらわからなくなつてしまいました！」

と現のやうに眼をつむり、うつとりとなつて居ります。

「ォ、可愛い子ぢやのう、これからわしや、おのしを指導せにやならん、おのしは、わしから種々と好い事を知ることが出來ますのぢや、そしてわしの授ける適宜な敎訓に依つて、此後おのしの望みをかなへることが出來るのぢやよ」

と云ひながら、師父アムブローズはおもむろにその座つた位置を變へました。

これに依つて、ベラーさんは、初めて師父アムブローズの、うゑ切つたやうな、肉的慾望に滿々た、まなざしを見て、今更ながら驚きました。

それと同時に神聖なる師父の絹布の法衣の前面が威大に突出して居るのを發見しました

興奮し切つた僧侶は、もう、その態度なにかにかまつては居られませんでした。

彼は美くしいベラーさんを兩腕の中へ抱へ込んで、無我夢中に接吻しました。そしてその優しいベラーさんの體に、彼の無骨な體をこすり付け、それから無作法にその上にのし掛りました。

遂に、彼は煮ゑ返るやうな情慾にたゑ切れなくなつて、ベラーさんを抱擁した片々の手をはなし、その手で法衣の前を掻きはだけ、恥かしげもなく、驚きの眼を見張つて居る、若い悔罪者の目前へ、素晴しい大きな――おへしてつた― 一物を出しました。

この大きな一物を突然突出された時、ベラーさんはどんな威情をその心中に起したでせうか？ それは神ならぬ私には一寸申上げ兼ねる次第で御座います。

だが、ベラーさんの眼差しは、直ちにその一物に釘附のやうになつてしまつたことは事實でした、驚きながらも、彼女がそうした態度を示したことを早くも見て取つた師父アムブローズは、別に氣づかふことはないと獨り心にうなづきました、そして、一物を落着き拂つてベラーさんの掌へのせました。

ベラーさんは動悸うつ一物を固く掌に握らせられ益々興奮して仕舞ひました。

ほんの一寸チアリーに水揚げされた計りでしたが、ベラーさんの性慾は忽ちに目覺めて著しい現象を表はしましたので、彼女はその柔かい小さな兩手で、素晴しい一物をデツと握り締め、性的歡喜に恍惚となつてそこへ身を沈めました。

「聖母さま、妾はもう天國へ昇つたやうな心地で御座います！」

とベラーさんはかすかにつぶやきました、そして「オヽ、師父さま！このやうな樂しい事を妾がしやうと、誰れが想像して居りませう！」

と溶けるやうな秋波をしながら彼女は、師父アムブローズの顔を下から覗くやうにして申しました。

これ程、師父アムブローズに取つて、幸福な事はありませんでした。彼は美くしい悔罪者の淫奔なのに滿足しました、そして、彼のいまはしい狡計がうまく圖に當つたのを嬉びました―外でもありません、凡て是等の事は彼が、計畫的に謀んで爲たことであつて、二人の若い戀人同士を機械的に接近させたのも彼ならば、欲しいまゝにその情慾に浸しめ、他人から隱れて、燃ゆる眼を光らせ、彼等二人の戀愛合戰をソツト竊覗したのも彼だつたのです。―

彼はそそくさと立上つて、美くしいベラーさんの體を兩手でさされ、今まで彼の座つて居りました座蒲團の上に輕く寢かし、彼女のムツチリとした兩足の間に膝を割り込み、出來る丈け、彼女の股を擴げ、暫時、その眞白な下腹の末に現はれた、美くしい桃色の裂目を眺めて居りましたが、やをら身をかゞめ、防ぐ間も無く。彼は、ベラーさんの股間へ顏を差し入れ、色情を誘發する舌先を、濕ひ切つた陰溝の中へ、出來るだけ奥深く突込み、巧みに舐め廻しました。ベラーさんは、情慾をいやが上にもそそられ、身も心も溶けるやうに恍惚となり、體を震はせて居りました。彼女の體は、快感の爲め、痙攣的にうねつて居ります、やがて彼女はドロ〻〻した精汁をしたたかに出しかけました、それを師父アベゾローズは舌打ちしながらとろとろでも吸ふやうにうまそうに吸取りました。

それから一寸隱かになりました。

ブラーさんは、仰向けに寢て居ります、兩腕は左右に投げ出され、頭は後へぐつたりとうなだれて居ります、それは明かに、聖僧の獸慾の爲めに、彼女が征服されたことを物語つて居ります。

ベラーさんの胸は未だ動悸の爲に波打つて居ります、そして、その兩眼は恰も去り行く快感を追ふ樣に元氣なく半ば開かれて居ります。

師父アムブローズは、兔も角、現在のやうな世の中で道心を堅固に守つて來た、稀れなる聖僧の一人だつたのでした、それも、たつた今が今迄です。

彼は自已の志向に依つて永らくの間、忍耐に忍耐を重ね、燃ゆる樣な情慾を殺す習慣を見事つけおほすことが出來たのでした。猶は又、神のお召しにそむき、邪道に走つた時は、いつも死をもつてこれに對するといふことをその門弟達に話し聞かせて居つた程の人物なのでした。

だが、この人の持つて居る眞實の性格を覆つたウエールを取り去る時期が今近づいたのです。私は敬意を表して、その衝に當り、實相を語ることに致しませう。

師父アムブローズは、實を申しますと、生れながらの好色漢だつたのです。彼の頭中には常に、漁色の感念のみが充滿して居りました、そして、獸のやうな情慾―燃ゆるやうな、壯んな性質―は決然として彼の全身や、頭中に漲り、まるで、古代の傳說に現はれたサチールの生れ變りではないかと思はれる程でした。

然し、ベラーさんは、たゞ、彼女の罪を赦して呉れる師父であり、又、今後彼女が浴する快樂の導きをしてくれる指導者だとばかり幼な心に信じて居ります。

大膽な僧侶は、彼の計略がまんまと成就して、相手を苦もなく、手中に丸め込むことが出來たのを心中に獨りほくそ笑むと同時に、彼女の性質が非常に淫逸であるのを知つて喜びに堪へませんでした、そこで、師父アムブローズは手管の果實を摘み取るのは今が好い時期であると。秘にうなづきまして、その烈しい慾情を鎭める爲め、ベラーさんの愛嬌處を全部占有し、その愉樂の露に浸らうと心を定めました。

ベラーさんは、とう〳〵彼のものになつてしまつたのです、彼は、おもむろに、ベラーさんの震へて居る體から。離れました、しかし、彼の唇からはベラーさんの甘い唇の移り香が消ね去らず、恍惚として彼の鼻を銜きます、彼の一物は增々その太さを加へ。いやが上にもいきり立つて參りました、そして、不氣味な眞紅の龜頭は充血して今にも笑み割れるばかりの有樣を示して居ります。

懺悔聽聞僧の爲めに襲はれた、ベラーさんは、此時、體の自由を得て、ホツト吐息をつき、頭を持ち上げました、と、何うでせう、彼女のすぐ鼻先に、太やかな好もしい師父の一件が不造作に顔を突出し、咽をふくらせ、動悸を打つて居るではありませんか。

ベラーさんは、眼を据へてそれを見つめました、長い太やかな莖──眞黑な縮くれ上つた前の毛―そはぢやり〳〵として臍の方へ捲き上つて居ります―その下方から小さな鷄卵ほどもあらうかと思はれる、眞紅な龜頭を露出した、得手ものが、恰も彼女の手の近づくのを待つて居るやうな格好をして居ります。

ベラーさんは、それを見ると、何とも知れず。彼女の身内の肉が引締るやうな感じがしました、で、從先の考をつける豫猶も無く、振ひ附くやうに、再びその一物を彼女の掌中に握り締めました。

彼女はそを柔は々々と締附けました―それから輕い壓迫を加へました―そうしてから、邊乃子の咽首にたるんで居る皮を根元の方へ、ぐつとしごき下ろして、張りしてつた龜頭を見守りました。その先端には小さな滯のやうな穴が開いて居ります、彼女は不思議想な面持ちで、一物を兩手にささへ、動氣を高めながら　已れの顏の方へ引寄せました。

「師父さま、なんとこれは美くしいものなのでせう！」

と、ベラーさんは感嘆の聲を揚げました、そして「ホントに何うして、こんなに大きいのでせう、ネー。マア、どうぞ、師父さま！聖母さまから戒しめられた、このやうな苦しい、つらひ事から、あなたをお救ひ出すには、何うしたらよいのか、妾におつしやつて見て下さいまし」

と申しました。

ベラーさんのこの問ひに答へるには、師父アムブローズは余りにも興奮し切つて居るので、速座に言葉が出ませんでした。そこで、彼は、彼女の手を執り、無邪氣な娘さんに、彼の威大な得手ものの體をその眞白な五本の指で上下にさすれと、身振りで知らせました。

彼の快樂はたとへるものもない程でした、ベラーさんも御多分に洩れないことは、皆様が先刻に御擦しなされて居ることと存じます。

ベラーさんはたゆみなく、そのやは々々とした掌で彼の一物をこすり立てながら、師父アムブローズの顔を下から無邪氣に見上げながら、優しい聲で。

「若しこうされてお心地が良いなら、いつまでも、いつまでも、この樣なことをして居て、差上げませうか？」

とささやきました。

そうてうして居る内に、師父アムブロ－ズの得手ものは優しい柔やかな娘さんの掌にてすり立てられてしたたかに强張り、先走りの陰水の爲にネトネトと濡りを帶びて參りました。

「ママ待つてくりやれ、おのしがそのやうにすり立てると、わしやもう直ぐと、氣が丟つて仕舞ひそうぢや！」

と靜かに云ひながら。

「一寸の間だ、氣を拔いた方が良いぢやうう」

と師父アムブロ－ズは吐息をつきました。

「氣が丟く！それは何のことですか？」

とベラーさんは熱心に尋ねます。

「オヽ、可愛い娘よ、ホントにおのしは無邪氣だのう、その純眞な心持ちが、これから聖母さまの覺し召にかなうのぢやよ」

と、凌辱といふものが如何なるものであるかを、少しも知らぬ、この若い悔罪者の罪のな

い向ひに對して片頰に笑をたたえながら、喜びの眉を開きました。そして言葉を續け、

「氣が丟くといふ事はのう、つまり男と女子との睦事が充分に滿たされたことを言ふので、その時、それ、今、おのしが手のひらに握つて居る、一物の頭から、濃い牛乳のやうな粘液が流れ出しての、男も女子も一所に、此上もない快い氣持になることぢやよ」

と解き聞かせました。

ベラーさんは、チャリーと何んした時のことを、思ひ浮べました、そして其當時、氣がボーッとなつた時のことを胸に描いて、マアあのことをそういふのだワと早くもさとりました。

「では、師父さま、その水が出ると、お心持ちがサッパリとなられますか？」

「オオ、娘それは勿論ぢやよ！此の聖堂に仕へる忠實な神樣の召し使ひであるわしの苦しみを救ひ幸福を與へるものは、おのしの熱心な眞心にのみよつて果たされるのぢや」

「マアなんて愉快だらう！」

とベラーさんはつぶやきながら。

「妾の手で、この豊かな愛の水を汲み取り、師父さまを喜ばせることが出來るのなら――何んといふ妾は仕合せ者だらう、マア嬉しい！」

と喜び勇み、そのほてつた顔には、或る希望に滿ちた、輝かしいひらめきがあり〳〵とほのめいて見ねました。

ベラーさんはかうした考を半ば、心中に描き、半ばを口にしながら、彼女の頭をうつ向け、むせかへるやうな陰水の臭ひに、湯氣を立つて居る、彼の一物に、顔を差し寄せ、その先端に濡つた彼女の唇を近附け、鈴口を可愛いらしい口で強く接吻しました。

「このネバ〳〵した水は、なんといふ名ですか？」と、も一度顔を上げながら、ベラーさんは尋ねました。

「これには、種々と異つた名があるのぢやよ」

と、一寸言葉を切り。

「それ〳〵、その人の身分に從つてのう、したが、おのしと、わしとの間では、淫水と呼びませうぞ、娘よ、おわかりかの？」

と師父アムブローズは申しました。

「淫水！・」

とベラーさんは口のうちに繰返してつぶやきました、その無邪氣な唇を洩れる、なまめかしい言葉は、わざとらしからず、何となく、人を引附けねば止まないやうな味を持つて居ります。

「さよぢや、娘よ、そこで、わしはのう、それがどのやうなものぢらうかと言ふことを、おのしの得心のゆくやうに、貯いその精汁を今ここで澤山に出して、お目にかけませうぞや」

と師父アムブローズは申しました。

「でも、妾、それをどうしてお受けしたら良いかわかりませんワ？」

と、ベラーさんは、一寸眉をひそめて尋ねました、その譯は、チャリーのことを思ひ出し、彼の一物と、師父アムブローズが己れの目前に突出した、太くたくましい一物とは比較の出來ない程、それ程余りに、大サが掛け離れ過ぎて居ることを知つたからでありました。

「それにはのう、種々と方法があるのぢやよ、それは皆んなおのしが會得せにやならんものばかりぢやが、さしあたり今、ここでやらうとするのは、わしが先刻お話した睦事の實演をするのではなくて、外の方法を執るのぢやよ。それはのう、おのしの體内へ淫水を注ぎ込む代りに、――つまりおのしのかたい小さな穴ではわしの出す夥たゞしい淫水を受切れまいからの――先づおのしの柔らかい指先で、氣の丟きかかるまで、スコ〳〵とこすつてくりやれ。

そして、氣が丟きかかつたらのう、わしが目ませをするから、したら、出來るだけ速やかに、この倅の頭をおのしの口中深く含んで、そこで思ふ存分に淫水を出さしてくりやれ、すれば、わしや一時に滿足をすることが出來るからのう」

と云つて師父アムブローズは唾液を吞みました。

好色なベラーさんは、今、懺悔聽聞僧の話した事柄に少なからず興味を持ちました、そして、夢中で射精を急いで居る凌辱者の意見に、速座に同意することを承諾しました。

師父アムブローズは再び、彼の威大な一物を、ベラーさんの可愛らしい掌中に握らせました。

　ベラーさんは、焼けつくやうな一物の感じと、太くたくましい格構に、又亦情慾をそそられ、両手で一物をしつかりと握り締め、そう〳〵愛撫に取掛りました、彼女のやさしい摩擦や、壓搾は、淫逸な僧侶の性的快感を充分満足させることが出來ました。

　やがて、ベラーさんは、そのやさしい指先で只、摩擦して居るのはなんとなく面白く無くなつて來たので、遂に笑み割れるやうな一物の頭を、薔薇色の唇に接近させ、とう〳〵口中奥く吸ひ込み、舌端を働かして、そこら中を舐め廻し、自分の思ひ通りに早く何うかして氣を丟かせやうと、あせつて居ります。

　聖僧は、まさか、かう成らうとは豫期して居りませんでしたので、かうも速くそのお弟子が、自分の提案に反して逆襲をこころみたのに、少なからず面喰はづには居られませんでした。――だが、現在受けて居る氣持のいい何とも云はれぬ擽ぐりに、もうこたへ切れなくなつて、いつそのこと娘さんの口中や咽の奥へ精液を射出して仕舞ふかと思ひました。

　そこで、師父アムブローズは、夥たゞしいねり固まつた淫水を、したたかに洩し、つぐたりとなりました。

彼は全く變つた男であります、考へても御覽なさい、彼の出し掛けた淫水は、普通の人よりも數等倍も夥しかつたからです。

それぱかりでなく彼の性慾は、一度氣が丢つた位ひで消らて仕舞ふやうなあつさりとしたものでは御座いません、それはすぐさま元氣を回復し、次の仕事を待つて居るやうな有様です。彼の春的氣份がきざすと同時にその獸慾は潮のやうに全身にあふれて、そして彼の淫逸の氣持を益々增長し、淫樂にふけらせるのが常でありました。

此時に際して、しとやかなベラーさんが現はれ、激烈なこの人の情慾を鎭めたのです。ベラーさんは生れてから未だ曾つて經驗したてとのない滑々とした濃い情の水を可愛い口に受けました、そして師父が、おのしの小さな穴では溢れて仕舞ふだらうと言つたことを思ひ起して、一生懸命に、出しかけられた淫水を一滴も殘さず飮み込まうと努力しました。

一物はその鈴口を舐ふるベラーさんの舌先の巧みな働きに快感をそそられて、益々固く、熱して參りました。一方彼女の兩手はしきりなく動いて、邊乃子のうは皮を上に下にこすり立つて居ります。

師父アムブローズは、二度の氣が丟き掛つた時、遂に堪へ切れなくなつて、邊乃子を、ベラーさんの薔薇色の唇から抜き出しました。

そのとつさに。ベラ！さんは、その仕事を果さうとして、出來る丈け強く、力一つぱいに、一物の胴中に舌をからみ、ぐうつとしごきました。

すると忽ち善僧の肢は硬ばりました。彼の兩足は悔罪者の左右にふみ擴げられ、ひきつけたやうに、兩手で座滿にしがみ付き、體を眞直ぐに前方へ突き出しました。

「オオ、天にましますキリスト様！　私はモウ丟きます…」

と云つて、鼻息荒く、ハアヽヽ、フウヽヽ言ひながら口を開き、上づつた眼で、無邪氣な犧牲者に一瞥をくれました。それから、おそはれたやうに身を震はせながら、ウーンと一聲、低い、ヒステリックなうめきと共に　若い娘さんの刺戟につれて、トックヽヽヽとしいふのりのやうな淫水を洩しました。

ベラーさんは彼うつて、口中に注がれる、淫水の滴りをのこりなく感じました、それは、つるつると止め度もなく、泉のやうに、彼女の咽を流れて行きます。ベラーさんは心よくそれを一滴殘さず呑み下しました、そして彼女の相手の呻聲を聞いて、彼女の手に依つて、充分相手を歡喜させることが出來たのを、見極めると同時に、益々舌先を巧みにあやつり、龜頭を舐めまわし、壓縮しネト々々した淫水をたらふく呑んで、腹一つぱいになり、やがて一物を開放しました、しきりもなく出し掛ける溜め淫水を浴びて、彼女の顏はダツショリ、ヌラ々々濡れしよびれて仕舞ひました。

「聖母さま！」

と、ベラ！さんは感極まつて叫びました、彼女の唇と顏は　師父の浴びせた、淫水の爲めポツ々々と湯氣を立てて居ります。

「聖母さま！何といふ樂しい事を妾は味ふことが出來たのでう？――そして、師父さま、あなたは、常に望んでゐらつしやつた　貴重な樂しみを、妾しに依つて、遂しることが出來はしませんでしたでせうか、如何です？」

と尋ねました。

師父アムブローズは、それに答へるのには、余りに、その精神が激動して居りました、彼は無言のままおとなしい娘さんを兩腕に抱ヽ上げ、湯氣を立てて居る彼女の唇を、巳れの唇に、ピタリと合せ、心ゆくまで、滿足と歡喜に充ちた接吻を取りかはしました。

凡そ半時もそうした狀態で過されました、何人のさまたげも受けずに、安々として。

入口の扉は固く閉されて居ります．師父はうまく彼の時間を計つたのでした。

彼此する中に、またまた、ベラーさんの慾望は烈しく興奮して參りました、そして、いつかチャリの小つぽけな道具で、搔廻はされた様に、師父アムブローズの威大な一物で、一度とうされて見たいといふ感念が起りました。

そこで、彼女は飾瘤立つた懺悔聽聞僧の首に、兩手を投げ掛け、低い聲で誘ひをかけました、そして其結果をそつと注目して居りました、ー勿論彼女が蜜のやうな聲でささやいた事は功を奏して、相手の股間の一物はシャツキリと頭を持上げて居ります。

「ネー師父さま、あなたはこのへいさい溝が余り狹苦しいと、おつしやいましたワネ」

と云ひながら、ベラーさんは相手の大きな手を執つて、彼女の隱し處へ入れ、輕くこすりつけました、そして。

「あなたがお持ちの淫水をこの中へ、トロトロ注ぎ込んで見たいとは思つて居らつしやいませんですか。何故、妾は、ここへ、この赤いものの先端から、溫い水を注ぎ込んで頂くことが出來ないのでせうか？　ネー師父さま！」

と一寸すねて見せました。

何れ程ベラーさんの美くしい容貌や、無邪氣な、天眞爛漫な氣性が、僧侶の淫心をかき立てたかは言はづとも知れませう。

師父アムブローズは勝ち誇つて居ります――彼女は全く彼の手のうちに有るのです――彼は何日何時たりとも、情慾が起る毎に、彼女のうま味のある愛嬌處を心ゆくままに賞玩することが出來るのです。

彼女は彼のものなのです。彼は望むがままに樂しむことが出來るのです――そして、どのやうな惡どい淫樂でも、手當り次第に試みることが出來るのです。

「アア、これあどうぢや！余り薬が強すぎるやうぢわい！」

と、アムブローズは、つぶやきました、然も、彼の情慾は盛んに燃れて、ベラーさんのこの誘ひに、激襲を加へやうとして居ります、

「可愛い娘ぢやのう、おのしは、自分の望んで居ることがどんなものぢやろか知らんのぢやよ。假りにそれがわしに依つて開き傦けられるとしてもの、それあ結極苦しい思ひをせにやならんことになるのぢやが」

と、溶けるやうな眼をして申します。

「妾はキットそれに耐へられます」

とベラーさんはキッパリと答へ。

「だから、妾のお腹の中へ、そのたくましいものを突込んで下さいまし、そして何卒あの熱い水を早く注ぎこんでください！」

とせがみました。

「聖母マリヤ樣！これは余りに薬がきき過ぎはしないでせうか――エヱモウ止むを得ぬ

わい、ベラーさん、おのしの願ひをかなへて進ぜませう、おのしはこの張りしこつた道具の全長を知ることが出來やうぞ、何んといふ可愛い娘ぢやうか、おのしは、やがて、温い淫水の海に溺れるのぢや！」

と師父アムブローズは笑を洩しました。

「アア、師父さま、妾はなんといふ幸福者でせう！」

とベラーさんはいそ〳〵として居ります。

「ベラーさんよ、着物をお脱ぎやれ、睦事の邪魔になりさうなものは、全部肌身から取り去つたがよろしからう」

かう師父アムブローズに言はれまして、ベラーさんは、そう〳〵と衣服を脱ぎはじめました、そして懺悔聽聞者が、彼女の美くしい姿に見惚れて居るのをみて　輕い誇りを抱きました、彼女が裸になつて居るうちに、相手の一物はスクスクと延びて著しい太さになつて參りました、彼女はとう〳〵、生れた當時のやうに全身赤裸々となつてしまつたのです。

師父アムブローズは、人を魅するやうな、彼女の美くしい裸體を目撃して、恍惚となりました。

丸々とした臀、薔薇の芽生のやうな乳房、それは男の仇し心を掻き亂ださずには置きませんでした。彼女の肌は雪のやうに眞白く、繻子のやうに柔かであります。むつちりとした尻の割目、ふよく〳〵とした股、平らな白い下腹、そして、チョロピクと黑い影を殘した紅白山は、少なからず調和がとれ、それ等のものに一種の趣きを添へて居ります。

右の外に、奇麗な、桃色の裂目、それは紅白山の麓に、僅かにその姿を現はし、その末は小膽な牝鹿のやうに、ふくやかな股の間に隱れて居ります。

殘忍な僧侶は、是れ等の總てのものを見て、感嘆いたしました、そして、たまらなくなつて、鼻息を荒くしながら、彼女を襲ひました。

アムゴローズは、彼女を兩腕の中へ抱き締めました。彼はベラーさんのなよ〳〵とした肌に節しくれ立つた體をこすりつけました。そして無中になつて接吻を浴びせ掛けました、それから、彼女に向つてなまめかしいみだらな聲で、彼の大きな一物を、彼女の陰溝から腹まで突込んで、きつと天國へ昇るやうな良い心地にしてやると申しました。

ベラーさんは、快感に堪へられず、アアとかすかな呻聲を上げました、その時興奮し切つた凌辱者は、彼女を仰向けに押してかして居りました。そして既に處女の膣孔を被護する、生温い濡れた赤い唇の間には、彼の大きな一物の頭が苦もなく臨まされて居りました。

さて、聖僧は、ベラーさんの生温い陰溝の間へ一物を狹ませ、美快を感じましたので、そろ／＼と腰を動かし、どうかして、一物の頭を陰内に押し込まうと、一生懸命に氣をあせり出しました。ベラーさんは大きな一物の頭で陰中をこすり廻され、陰核は脈をうち、子宮はときめいて、思はず先走りの淫水を、ヌル々々と出し掛けますと、そのぬめりで、スポりと調子よく、龜頭が小さな女陰の口にぬめり込みました。

ベラーさんはまるで瘧にかかつたやうにその快感に堪へられず身を震はせました。

師父アムブローズは、その努力が報ひられて、やうやつと、彼女の濡れた陰溝へ、一物の頭をうづめることが出來ましたが、それと同時に彼女を狂氣の樣にして仕舞ひました。彼女は無我夢中でソロ／＼と腰を使ひました、そして二度目に消え入るやうな呻聲を發した時、彼女は止め度なく滑め／＼とした淫水を、子宮の奥から夥たゞしくはぢき出しました。

豫てかうなることを殘忍な僧侶は期して居りましたので、彼女のぬれ岡まつた生温かい淫水が、したたかに彼の一物の頭に浴ぎかかるや、否や、彼は一物に全身の力を込め、餘れる部分を根元までも入れよとばかりに勢ひ込んでぐつと、可愛い娘さんの小便臭い女陰の奥底へかけて突込みました。

ベラーさんは、そのかよわい體内に、突然遠慮なく押込まれた一物のこわばつたい感覺をおぼねると同時に、氣が遠くなつて、痛みや苦しさを考へるひまもなく、相手の腰を彼女のきやしやな兩足でしつかりと抱へ、雷が落ちても離れはせぬと確く々々緊めつけました。

「オオ可愛い子よ」

と好色な僧侶はささやきした、そして。

「わしの腕はおのしをしつかと抱ねて居りますぢや、わしの道具は殆ど半分ばかり、おのしの引締つた腹の中へは入て居りますぢや、オオ、天國の樂しみはまもなくおのしを見舞ふぢやうよ！」

と言葉を續けました。

「アレ、モシ師父さま、妾しやどうも、何んだか、變な氣持ちになつて參りました、どうぞ拔かずに、ぢつとして居て下さいまし、アレ〳〵、モツト奥の方をきつく突いて」、とベラーさんは現つのやうになつて犯り出しました。

「ソレ〳〵、てこかのう、したがわしの一物は、太くて充分奥まで屆かぬのが殘念じや。余り力を入れるとおのしの新鉢が一とたまりもなく破れてしまひませうぞや、ぢやがもう、そう言つてる場合ひぢやなからう、オオ、わしやもう丟く〳〵―死にさうぢや！」

と僧侶もてこてこをせんどと、ロサ〳〵と腰を速めます。

ベラーさんの隱し處は、追ひ〳〵と口を擴げて參りました、師父アムブローズは又一寸ばかり、一物を彼女の玉門の中へ進めました。彼の一物の皮はめくれかへり、濡鼠のやうにビツショリとして居ります、そして半分程彼女の下腹の中へ喰ひ入つて居ります。

彼の美快は絕頂に達して來ました、そして彼の一物の胴中は、キユツとベラーさんの陰溝に喰ひ締められて、抜き差しが出來なくなりました。

「早く！師父さま、早く氣を丟つて頂戴、妾も一緒にやりますからヨウ」

と、ベラーさんは腰を立横に振り動かしながらさいそくをいたします。

そのやうな動作は益々懺悔聽聞者の淫心をそそり立てて性交の度を強めました。彼は狂氣のやうになつて腰をセツ々々と使ひました、その度每に彼の熱鐵のやうな一物は除々に玉門の奥へと深く進んで參ります、そして最後にぐつと一突力を込めて、睾丸までも入つて仕舞つたかと思はれるばかりに、ベラーさんの固い小さな壺の中へ一物を殘りなく押し込んでしまひました。

この最後の一突きに、まんまと、一物を根元まで押し込んだ狂暴な僧侶は、相手の犧牲者よりも歡喜が甚だしかつたのでした、そうでせう、如何な淫亂な彼女だとて、どうしてこの手荒い襲撃をふみ耐へることが出來ませう。

肉體的苦痛に堪へず、憔悴したやうなするどい叫び聲を、ベラーさんは上げて身を震はせました、彼女は凌辱者がその一物で彼女の體全體をグチヤ〳〵に突きくだくやうに默

じましたそこで　彼女は氣をイラつかせながら、彼のたくましい一物の襲擊を受けてたへやうとしました。

アムブローズは、鼻息荒くハア〻〻言ひながら彼の毒蛇にさされた、可愛い犧牲者の體をうす眼で見下ろしました。彼はその大きな一物で、相手の女子を征服したのを小氣味よく思ひました。そして、何とも云ひ知れぬ愉快さをその身の內にゾク〻〻と感じました。

彼は大きな一物を喰へて、苦しさうにのた打つ彼女を心好く見入つて居ります。彼の野獸性はいやが上にもつのつて來たのでした。

彼はそれから何うしたでせうか―マア」聞いて下さい、彼は出來るだけ滿悅しやうと、―彼女の體をしつかり兩腕に抱き締めて、一物をグン〱奧の方へ押し込みました。

「オォ可愛いのう―おのしは、ほんとに興奮して居るが、もつと氣をしつかりして、心ゆくまでこのいい味を樂しまにやならん。わしや約束の淫水をトップリ出して進ぜやう、したがのう、それまで充分邊乃子をこすつて貰はにやならんよ。サア、口を吸つて、な、わかつたか、ベラーさんよ、それから氣を丟つて上げませうぞや。わしが熱い熱い、淫水をおのしのおめつちに注ぎこんで進ぜるとのう、おのしは今までにない良い心地になりますのぢや、わしも同様にその味を知ることが出來るのぢやよ。ソレ、ベラーさん、腰を強く使つてくりやれ、ソレ〳〵、そのやうに、ほんとに利口なお子ぢやのう、ソレとうとう、うまく又は入りましたぢや。オオ、モウどうも！」

と言ひながら、アムブローズは一寸身を起して臍の下を覗いて見ました、と何うでせう、彼のたくましい一物の胴中は可愛らしいベラーさんの、玉門の口でキユツと喰ひ締められて居るではありませんか。

固く陰滞に埋められ、生温いやは〳〵とした若い娘さんの赤い下唇にキユツとひき締められて居る、彼の身體の一部を、彼は思ふさま力を入れて前へ突き進めました―勿論彼のたくましい一物の襲撃に會つて、相手がどんな苦痛を感じやうと、むとんちやくに―只々、彼は、自分の滿足を得やうとして、夢中になつて居ります。

彼は此場合、人にあはれみなど掛けやうなど、いふ、やさしい心を藥にしたくも持ち合せて居りませんでした、で、出來る丈け腰を強めて、一物を彼女の玉中に押し込めると同時に、燒けるやうな厚い唇を、あはれ、おののいて居るベラーさんの薔薇のやうな唇に押付け、永い間だ息をつめて吸ひついて居りました。

暫時の間、何ものも聞ねませんでした、が、ただ、フウ々々、ハア々々といふ僧侶の荒つぽい鼻息ばかりが、邊りに反響して居りました。

と同時に、ドツキ、ドツキと脈打つ、邊乃子の動悸の音がかすかに、美くしい懺罪者である彼女の下腹に抜き差しされる毎に、聞取れるばかりでした。

アムブローズは、あの素晴しい一物で、どんな具合ひにあのやうな小娘に手術を施し、異性の春的氣分を挑發して、威大な感動を與へることが出來やうかなどと、うたぐつてはなりせん。彼だとて、小娘は、小娘らしく、操縦する道ぐらひは良く心得へて居るのです、たとへその一物が道鏡を凌ぐゑら物にもせよ―

又一方に於ては、自然はよく出來たもので、若いベラーさんを斷乎とした心地にさせました。

最初感じた苦痛は、聖僧の間斷なく加へる強い邊乃子の鞭撻にいつしか呑まれて、恍惚とした氣分がその代りに首を持上げて參りました、そして間もなく美くしいベラーさんは、低い、絶ね入るやうなうめき聲をあげながら、よがり出しました、彼女はも早や、快感の爲に、現つになつて居るのです。

「オオ、師父さま！オオ、あなた、氣高い師父さま！モツト押して、モツト。アレサ強くよ！そこを、アア違ふ、エエそこを、ソレ々々、そのやうに强く、モツ妾、妾はこらねられないーエエモウ良くつて、良くつて。妾しや天國へ昇るやうだワ！アレあなたの尊いお道具の頭は、熱くて、子宮が燒けるやうだワ。マア、ナンテ良い心地でせう、アレ、モウーアレ、アレ！　聖母さま、妾しやモツどうして良いやら解らなくなつちまいました?!」

と、ベラーさんは夢中でよまいごとを言つて居ります。

アムブローズは効果の現はれたのを見て取りました。彼の愉樂も同樣に增して參りました。そこで彼は、一物の拔き差しせはしく秘術を盡して彼女をせめ立て、時々睪丸まで逼入るばかりに、一物をぐさりと突込んでは、玉門の奥底を掻き亂しました。

遂に、ベラーさんは氣が去きかかりました、そして電氣にかかつたやうに、ぶる〱と全身を震すと同時に、熱い淫水をしたたかに相手の一物の頭に浴びせ掛けました。

若い、美くしいベラーさんが、この時味はつた狂的な淫慾の快感が、どんなであつたかを、茲に詳しく述べることは不可能なことです。兎も角、彼女は、無骨な僧侶の體に、蔦のやうに、しつかりとからみ附いて居りました。一方相手の僧侶も又元氣のいい男らしい力で、それに報ひて居りました。

彼女はぬらめき渡る下唇で、強く、相手の一物の根元を喰ひ締め、尻の割目で睾丸をキユッと狹んで、少しでも體を動かさうとはさせませんでした。

そして、ベラーさんは、約束の樂しみ事を忘れさうにもありませんでした。

そこで、聖僧は、氣を丟りました、丁度、チャリーが、彼女にしてくれた事のある、あのやうな樣で、而して、彼女の情慾の炎を益々たきつけました、

それから、師父アムブローズは、彼の腕を、ベラーさんの動悸うつ胸に、そつと掛けながら、蒸れ返つた一物をベラーさんの陰溝に毛際まで押し込んで、落着いた口調で、モウ氣が丟くとささやきました、それを聞いて興奮した娘さんは出來るだけ股を左右に擴げ、

子宮の奥へ、相手の出し掛ける淫水を一滴殘さず吸ひ取らうと身がまへました。

彼は二分間ばかり身動きもせず、ヂッとして居りました。その間に、熱い湯のやうな、滑め〳〵とした淫水が、ショクリ〳〵音を立ててほと走り出ました。ベラーさんは、その熱い滴を、チュッ〳〵と子宮の頭に浴せられる度び毎に、身をもだへてよがり泣きました。

（第一夜終り）

上海摩鏡見物記

梅原北明

支那には昔から色んは意味に於て、性的な見世物が多い。その流行や變遷に就いて一々調べて行つたら日本の見世物等遙かに及ばぬ數多くの興味深い見世物を持つてゐる。のが、自分達は今、其等の見世物の一々を歴史的に調べ擧げるよりも、實際に目擊したものよりドシく紹介して行つた方が、より實感的であらうと思ふ。左に示す日記は、吾々の上海に於ける生活記錄の一節であるが性的見世物としては一方の大關位置を占める摩鏡見物の話を書いたものである。

××日、今日も亦、酒井や佐藤等と南京路の△△書店へ秘本秘書を漁りに出掛けた。支那の珍書や秘本に何等の豫備智識もない先生達が、支那へ突然やつて來て矢鱈に漁り始めても駄目だ。べら棒に高くふつかけられるか、さもなくば好い加減なものを摑まされて歸るかする許りだ。そして自分一人で珍本視して喜んでゐても、豈圖らんや、支那の軟派ものと云ふ奴は、くだらない物でも矢鱈に何々情史とか何々秘史とかと云ふ題名がついてゐるのでよく引掛けられるのだ。幸にして僕等には多少の豫備智識もあつたので　十年も十五年も支那にゐる謂はば支那通で自他共に許してゐる先生達も知らないやうなもの迄、此道に精通してゐたので、案外樂々と入手することが出來た。

上海へ來て、まだ一週間、既に三四十種類の秘本を漁り得た。これでは支那の友人達が吾々の非凡な怪腕？に舌を卷いたのも强ち無理からぬ話かも知れぬ。

古本屋を辭して一歩往來に足を踏み出すと、軒並に藝者や女優の寫眞を賣つてゐる怪しげな大道商人がウンザリする程突立つてゐる。最初の程は酒井も僕も、其麼寫眞に興味は持てなかつたが、遇然今夜、ふとした好奇心より彼等の前に一寸立ち塞つて寫眞をのぞいた。所が彼等の方では、トンヤン人待つてゐましたと許りに、僕の袖を引ツ張つて暗く横の薄暗い路地内へ案内した。はハアあれだなと思ふ間もなく、ポケツトから六枚續きの怪しげな性交寫眞を出して見せる。ねぎり倒して安く買ひ取つたが、以來此事に安價な興味を感じた吾々は、往來の明るみに出るや否や、寫眞商人と云ふ寫眞商人を一々冷やかして見た。すると、奇怪と云はふか滑稽と云はふか、どれもこれも皆持つてゐる。種類の變つた奴を七種程買ひ取つて下宿へ歸つた。朝から南京路附近をうろつき廻つてゐたので酷く疲れた。が時刻はまだ八時半だ。眠るにしては早すぎる。酒井と雜談してゐると、田中義一と云ふ背の餘り高からざる一人の怪紳士が訪れた。

「田中義一と申しますが、總理大臣ではありませんよ」と、彼はにつこり笑つて見せる。紹介狀を持參して來たので、此怪紳士の何者であるかと云ふことが解つた。先日、支那通の先生達が、吾々のために一夕歡迎の宴をはつて吳れた折、此の摩可不思議なるマーチンを拜見したいものだと頼んでおいた。で今、そのうちの　先生が親切にも此の怪紳士をマーチンのガイドとして吾々の許へ派遣せしめたのだ。

「お差支へ御座いませんでしたら、これから直ぐに御案内申上げませうか？先刻來三度もお訪ねしたんですが、御留守でしたし、それに先方では今夜だと非常に都合がいいと斯う申すんでせう。だから困つてゐた矢先きなんです。」

此意外な報告に、酒井も佐藤も、そして僕自身も、今の今迄疲れ切つてゐた氣分が忽ち恢復した。扨て、茲で一寸説明しなければならない事は、マーチンなるものの如何なる見世物であるやと云ふ概念である。摩鏡とは女と女が陰部を擦り合はせて快感に浸る同性愛的遊戯觀念を興行價値的に仕立てたもので、磨擦が終つたら張形を使つて觀客の心臓を寒からしめようと云ふ寸法なのである。がそんな說明は拔きにして、これから其見物記に移ると仕樣。

で彼れの話に依れば、マーチンの拜觀料は三〇弗で、案內役たる先方よりの使者に直ぐ金を渡して貰ひたいと云ふのである。先方よりの使者とは卽ち自動車の運轉手で、此の運轉手は卽ち彼等摩鏡術者のグループなのである。そして此の奇怪極る運轉手を吾々に紹介しやうと云ふ件の怪紳士田中義一氏は卽ちマーチンブローカーなのである。

でも、怪紳士田中義一大將は吾々に左の如く聲名した。「決して私は其麼見世物を皆さんに紹介することを以て商賣としてゐるブローカーではありません。この點特に御諒解願つて置きます」と。

然し更に次の言葉に從へば「だが、此の見世物の料金三十弗は、先方の運轉手に全部渡してるふのですから、この事に就いて私の立場だけを考量の中に入れといて下さい。」

つまり、三十弗以外に自分の紹介したコンミツションを幾らが呉れろと云ふ意味の言葉なのである。して見ればブローカーも同じ事だ。が、明かにブローカーだと云ひ切る事の出來ない原因は、彼れが日本人である以上、日本總領事館の警察權に觸れるからだ。日本の總領事館と云ふ奴は、外務省と内務省警保局と裁判所と、其他にお馴染の警視廳とを一緒に合併した海外出張所と云つた形式の所だから内務省に代つて日本人の發行する出版物の檢閲もやれば、警官も居れば裁判もやる。殊にスパイ制策の猛烈な所で、僅か二萬人の日本人に對してスパイの數、百名を超ゐると云ふ計算。だからら上海にゐて一定の職業なしにブラ〱遊んで食つてゐる先生の十中の九部迄はスパイと見て差支ない。此理由のために、今吾々に取つて唯一のガイドたる田中義一大將は『女を見たら隱賣と思へ。男を見たらスパイと思へ。』と云ふ上海の通稱語に多大の警戒を拂つて、特に彼れ自身の職業を吾々に秘し隱さうとしたのは事實だ。日本内地の田中義一大將は今は時めく總理大臣なれど、上海の田中義一大將は、領事館の監督を盜んで働く性的見世物ブローカーなのである。上海と東京とで、斯くも權式が異なるものなりや？と自分は些か皮肉を感じる。

扨て吾々は、下宿の前に出るや、該支那の運轉手に三十弗と、田中義一氏にコンミッション五弗とを支拂つた。

軈て自動車は暗を衝いて街を離れて効外に出た。と思ふと何時の間にか市内に流れ込んで支那租界の怪しげな路地を幾つもカーブしてゐる。今にも眞暗な路地の中から排日黨の支那人達が飛び出てピストルでも亂發しさうな豫感が襲うてならない。全く氣が氣でない。斯うなるとマーチン見物も命懸けの道樂である。

自動車は出鱈目に疾走してゐる。競馬場を右にカルトンから南京路に向つてゐる。幾ら色んな横町に出沒して吾々の視覺を狂はせやうとしても其れア駄目だ。吾々は既に或る程度迄上海の道に通じてゐる。

軈て吾々の自動車は或る薄暗い息氣に充ちた路地横にピタリと停車した。

彼等にとつて吾々に現場の地理を知られることが最も恐ろしいことなのであらう。彼等は巧みに吾々の視覺をくらましたと信じてゐるであらうが、豈圖んや、茲は南京路（日本で云へば銀座街）の或る裏筋である。其証據には直ぐ頭上に永安公司のイルミネーションが見られるではないか。

一行は車を棄てた。酒井も僕も共に無言。互に顏を見合して寂しく笑つただけ。運轉手と田中義一大將は何か上海語で私語き合つてゐる。路地の彼方からは南京路の賑やかなどよめきが微かに洩れて來る。

上海の街中には共同便所と云ふものが餘りにない。家々の路地が皆その代用所である。おまけに支那人は此の路地へ凡ゆる汚物を棄てる。殘飯や肉の腐敗しきつた臭ひ。にんにく臭い小便の汚氣――物の五分間も衝立つてゐたらめまいがして來る。支那人は感覺に對して恐ろしく無感覺だ。或はめんにき性になつてゐるので少しも感じないのかも知れぬ。

が、それは兎に角く、軈て怪紳士田中義一氏は、つかつかと吾々の前に立ち塞がつた。

「では、これから御案内しますから、四五間の間隔を置いて一人づつ跡について御出で下さい。人目につくと一寸具合が惡いので………」

そこで、臭氣に充ちた薄暗い路地のコンクリートを踏んだ黑い人影が四五間の間隔を置いて怪しげに前進した姿を御想像下さい。

眞先きに進んだ人影が或る家の中へ消ゆると、次の黒影が程なく其家の入口に近づく。この黒影こそ誰れあらう。眞面目なクリスチャンとして自他共に許す吾が佐藤紅霞である

そして僕の五間程前に微細な注意をあたりに拂つて歩み行く黒影は酒井潔だ。たとへやうのない笑ひが無精に罩げて來る。―(全く好きな奴等だ)!

問題の魔窟は仕立屋さんである。入口には燕○○衣舗と云ふ古びた金看板がブラ下つてゐた。仕立屋さんの仕事場を通り拔けると奥の一室が問題のベッドルームだ。ベッドの前面には既に案内者田中義一氏も佐藤紅霞も適當な位置を占めて椅子にもたれてゐた。殊にベッドの一番近くに場席を占めた佐藤紅霞が、悠々と支那茶をすすつてゐる謹嚴?な態度には、誰れしも吹き出さずにはをれなかつた。

ベッドルームは、日本の六疊間程の廣さで、ベッドが其部屋の五分の二を占めてゐる。前面には椅子が五六脚並べられて觀客席と云つた感じを出し、片隅には一寸氣の利いた化粧台が安置され、その上の壁には少さな名女優の葉書寫眞の額が、五六寸の間隔を置いて

掲げられてある。電燈は部屋の中央上部に明るくブラ下つて今は問題のモデルを待つばかりだ。茶氣に富んだ案内者田中大將は此時、電球のほこりを殊更にふき取つて見せたりして一同を笑はしめた。吾々が着席するや愈々問題のモデルが姿を見せた。一人はまだ十六七才の少女だが、今一人の先生は既に人生の荒波を乘り切つて來た中年増だ。共に絶世の美人とは云ひ難いが、支那流に云へば、皮色潔白、身子痴肥、有貴妃之風、花信年華、柳絲云々と云つた程度の美人で、まア十八並のところだ。でも多くの見物經驗者が往々にして見せられたと云ふ瘦せ衰ね切つたモデルでなかつただけ、儲けものだ。全く此れだけのモデルは一寸ぶつからない。

二人はベッドの上に向き合つて安座した。そして共に着物を脱ぎ始めたが、此時、案内者に、肉襦袢も取つて素ッ裸となつて御覧に供したいから、自分達に内密に一弗だけ奮發して呉れろ、と歎願したことである。一同の顔は俄に輝いた。僕はポケットから一弗銀貨を摑み出して差出した彼女の掌に握らせた。女はにつこり流し目を吳れて素早くポケットの中に銀貨を收めるや、見る間に二人とも素シ裸になつて了つた。時に午後九時十分。

讀者よ、日本から來立ての吾々に取つて、年若い支那の女の裸體を見ると云ふことは確かに一つの大きな興味です。殊に若い方のモデルの如きは、見るからに肉感的な中肥りの少女で、肩や腰の肉づきと云ひ、乳房の膨ら味と云ひ、或はゴム毬の彈力に似た兩股と云ひ、此種の興行に使用されるモデルとしては申分のない方だ。が、未だ陰毛の數へられる程しか生ひ並ばざる彼女のヨニより鼠蹊部の方へと視線を移した刹那、突如、私は或る恐ろしい痕跡を發見せずにはゐれなかつた。が年上の女には横痃を切つた跡が三ケ所もあつたので、驚きも一時に去つて了つた、矢張り魔窟の女は魔窟に相應しいだけの資格を備へてゐるのだ。

「愈々これから摩鏡術の序幕に這入ります。」と、田中義一氏は先覺者らしく一同に告げた。

ベッドの中央に二人の女が、向ひ合せに互ひ異ひに足を組み合せて、ヨニとヨニとを磨擦し始めた。最初年上がアクテイヴに磨擦すれば、年少が兩眼を閉じてパッシイヴの構へを取り、次に年少がアクテイヴとなつて足を組みかへれば、年上は兩眼を閉じてパッシヴの構へを取り、次に、年少がアクテイヴとなつて足を組みかへれば、年上は兩眼を閉じてパッシイヴの型をとる。そしてパッシイヴがアクテイヴとなるために足を組みかへる毎に、彼女等のヨニより眞白な液汁が二グラム程流れ出るのであつた。これを語々に見せまいと彼女等は一回の陰部摩擦運動を終わる度に、素早く紙でふきとるのであつたが、斯う云ふことにかけては八一倍に眼力が正確となる自分には、明かに罌粟の實をつぶしたやうな白汁を彼女等のヨニより發見するに充分であつた。尤も酒井の說に從へば、年上が二グラムで年少が一グラムしか出なかつたと云ふのだから、僕以上に彼の觀察眼が高かつたと云ふ事になる。斯くして白汁をふき取ること前後四回に及び、一回の摩擦約六十數度に達し、第一回の休憩を宣告した。

そこで佐藤紅霞の說となるが、最初の摩擦が終つた時には酒井潔の說同樣、年上が二グラムで年少が一グラムであつたが二回目の足を組みかへた時には年上が一グラムで年少が〇、五グラムで、休稽を宣告した時には、年上が二、五、グラムで年少は殆んど白汁を認め得られなかつたと云ふのである。

以此觀是ば、自分の觀察は最も人間的であるに反し、佐藤は純然たる醫學的で、酒井は半醫學的な監察眼だと云ふことになる。實を云ふと僕は、彼女等の液汁の量的研究よりも、向ひ合つて片足を交互の肩に垂かけ、ベットの上に向き合つてのばした今一方の足を互にぐん〳〵前進させて程良く磨擦することの出來るポーヅと、而かも其れが頗る塾練的であることに感心してゐたので、液汁の量などには餘り重きを置かなかつた、只だ惡戯好きな自分の眼は彼女等の姿勢と、彼女等を視る一同の樣子に氣をつけてゐたのみだ。だから一同の怪しく謹張した態度は今も眼前に想ひ浮べることが出來る。酒井は其間一心に彼女等のポーズやエクスタシーをスケッチしてゐた。

第二回が始まると、今迄の雑談がピタリと止んで、彼女等のベッドのスプリングの音のみが此の部屋を忙はしく占領し始めた。交互に延した片脚の外股を互に左手で抱へ合つてヨニとヨニを磨擦し合ふ運動で、一寸高級な方である。

第二回戰が終ると、陰核は益々熱し切り、ヨニは口を開いて盛んに唾液をたらし始めた。如何に商賣とは云へ、斯く迄陰液を射出するからには確かに彼女等に快感が伴ふてゐるに相違ない。商賣や道樂では、此麼藝當は覺束ない。彼女等は正しく露出性的快感保持者だ。最初は女將の虐待に堪え兼ねて厭々乍ら、互にヨニを磨擦し合ふのであるが、見世物に供せられた此の哀れな二人は互の不幸を慰め合う内、其同情が愛に變し、それがヨニの磨擦に依つて遂には戀に落ち、今や拔き差しのならぬ變態的同性愛に陷るのだ。而かも其れが常に異性の眼前に於て公開を餘儀なくされるので、何時しか羞恥が反動化して快樂となるに至つたものであらう。觀客たる男性側から云はしむれば、單なる女性間の秘戯公開と云ふ程度の興味であるかも知れないが、彼女等に取つては生命に匹敵すべき羞恥である。變態性慾者にならずして、どうして其れが毎日、異なる男の監視眼の中で演ぜられやう。

第二回戰に於て完全に陰核を磨擦された二人の女は、今や堪らなくなつたと見え、愈々此夜の興味の中心たる張形を使用すべく、年上の一人が、ベツドの横に置かれた大鉢の中から微温湯に浸されてあつた長さ八九寸の餘り太からざるゴム製黑緣色の張形を摑み擧げて、互に半分づつヨニへ插入し始めた。對座して自慰に浸ること數分。一方が髮毛を尻にまで垂れ下げて、兩腕を後ろについて四十五度の角度に、對座する上半身を支へれば、他は五十五度の角度に開き對座して臀部の活動をより猛烈にし、後ろに垂れた髮毛を腋腹に挿んで上方の空間に向つて兩眼を閉ぢた儘、無二無三に鼻息を荒立てれば、今一人の女、我を忘れて聲快を發することと數度に及ぶ。すると突然相手の女は彼女を押し倒すが如く仰臥せしめて其腹上にのし掛り、男女性交法の第一義に屬すべき普通の型をとつて烈しく運動を開始するのであつた。年上の女が上になつて年少の女の乳房を嚙むやら顏中出鱈目にキッスをするやら、狂態の限りを演ずるので「勘辯してくれ！」と云ひたくなる。

第三回戰が終ると、年上の女が張形を引き拔いて一先づ鉢の中へ入れて良く洗ふのであつた。

快樂の後に伴ふ全身の疲勞が二人の女に吐息を作らせた。が少憩も其處々々に二人は第四次的戰線に入るのであつた。此れは恐らく何人たりと云へども驚歎疑ひ無しと云つた猛烈なもので、先づ足をのばして對座した二人は右手と右手を持ち合つて、左手は互にベットにつけ、陰部と陰部を摩擦させ乍らベットの上に圓形を描いて回轉する運動で、其の眼ま狂はしさは話以上である。惡戲好きの自分の如きは、此時、我を忘れて盛んに拍手を送つてゐたものである。

運運競技は益々白熱化さんとした。自分は愈々愉快な興味に引きづられて行つた。此時突然回轉運動が停止するや、年上の女は吾々に向つて叫んだ。

「非常に苦しいから、内密でもう一弗お呉れよ」

僕は無言で英國的紳士らしく一弗の銀貨を彼女の掌に乘せてやつた。が、諸君待ち給へ。此の一弗こそは前夜或る支那の煙草店で葉卷を買つた釣錢にうかつにも悠々と摑ませられて歸つた僞銀貨である。僞銀貨の使ひ場に困つてゐた矢先き「もう一弗お呉れよ」の聲がしたので、突差の間に此れを使用實現した迄である。

ところが僞銀貨であるとも氣附かずに彼女は盛んに「有難ふ」を連發したではないか。若し夫れ、彼女がベツト上に回轉運動を試み乍ら、その一弗がシンコツであるか否かを試すべく床下へぶち投げて見せたなら、更に支那式を發揮したかも知れぬ。

シンコツを摑んで二人の女は喜び乍ら更に更に猛烈な囘轉運動を始めた。滑稽やら可愛想やらで腹の皮が些かよぢれさうだ。

回轉すること約數十回に及ぶと、流石の彼女等も眼が迴つて來たらしい。恐ろしい競技もあればあつたものだ。近時斯くの如き技術に迄、スポーツの精神が取り入れられてあらうとは、誰れしも氣附かぬ所だ。驚くのが當然である。

で、此の回轉運動も終りを告げると、二人の女はフラ／＼になつて眼の位置が定らいのか、氣狂ひの樣に笑ひ出した。年少の女がボンヤリしてゐる間に、年上の女が手を鉢中へのばして張型を摑み上げた。而て吾々の眼前に向き直つてヨニをあらはに曝け出すや、ニヤ／＼笑を漂ゐてゴム製の曲物（くせもの）をあてがうのであつた。所が諸君。驚き給へ。暫時曲物（くせもの）を覗つめてゐた彼女のヨニは突然大口を開いて丸呑みにした儘、曲物をグン／＼吸ひ込むではないか。素晴しい膣活躍筋の伸縮運動である。大口にくはへ込まれた曲物は次第に奥へ／＼と進入して行つたが、龍宮の乙姫樣の如何なる忌緯に觸れてか、突如床下にはぢき出された。活躍筋も此位自由自在に伸縮させられたら占めたものだ。男の五人や六人は朝飯前に手玉に取れること請合ひだ。

一席の興行を終ゐると、二人の女は輕く會釋して着物をつけた。そして僕の色んな質問に答へた後、姓名を明かにして呉れた。年長者が長光琳娘で他が長琳娘だと云つた。そして一人は二十四才で他の陰毛の殆んどない方が十七才だと云ふことも附け加へて呉れた。

これで問題の馬鹿氣た摩鏡見物も一通り濟んだ譯であるが、此れを鹿爪らしく書き取つて見た僕自身も今は大概馬鹿々々しくなつて來た。恐らく此れを讀まされた諸君も、いい加減馬鹿々々しく感じられたことであらう。

で、最後に自分は、支那の「男女大魔術」と云ふ本の一節にも、摩鏡と題する一文の記錄されてあることを左に示して此稿を擱筆したい。

摩鏡

女與女交。名曰摩鏡。滬上現在此風大盛。竟有以此爲營業者。老三老四者。塵鏡黨員也。老三蘇州人。年三十有二。皮色潔白。身子痴肥。有貴妃之風。老四者者本地人。花信年華。柳絲風殷。習摩鏡業。已多年矣。一日。老四向老三書曰。昨夕成都路李姨太。我與他摩一夜。贈以二十金。金戒兩隻。吗我暇時陪汝去。三人同宿。我巳允之。老三曰。今日已爲一品香定去。否則今夜卽去何如。正說之間。一品香茶房已來吗。二人乃與之俱行。至一品香三號房內。已有客十餘。俟久矣。客謂二人曰。速來速來。余等尚有事去。老三老四。乃脫得赤條々。老三作女狀。仰臥床上。分開兩足。老四作男子狀。伏于老三身上。伏而鼓浪。几經摩擦。老三淫聲作矣。約十分鐘。老三起而老四臥。作倒澆之狀。又十分鐘老三臥床沿。老四立于床前。作老漢推車之狀。又十分鐘。老三仍仰臥。老四以僞陽具。俗名角先生者。半入自己陰中。半入老三陰戶。二人緊抱之。各挺其陰戶。任角先生在陰戶出入。與男子之抽送無異。以後左側飛右側飛。取火隔山。深院探花。一盃花。滿床飛。次第一一演之。演畢。客出三十金贈之。二人乃緩々著衣穿褲。不知羞愧。以一女兒之身。裸而任多少男人觀看。且作各項形妝。一若無事其者。眞可算爲怪事。老三老四二人。每日至少脫褲二十多次。不然三四十次。他人之褲可著一年者。彼二人著三月卽破矣。

（附記）此の記錄に依つて、其のゴム製たるとベツコ製たるとを問はず、張形卽ち僞陽具を、支那では俗名「角先生（コシイサン）」と云つてゐる事と、自分達の支拂つた見料三十弗は支那人にも同格であり、日本人なるが故にボラれたと云ふ算譯でも無く又此記錄に依つて想ひ起すことが出來たんだが、それは、演畢つた一分間後の彼女等の態度で、一若無其事者。眞可算爲怪事。とある如く、ケロりと濟ましたもので、此れは全く同感である。倘ほ最後の文句は御覧の通り、他人の褌は一年も保つが、彼等の褌は僅か三個月の生命しか保たないと云ふ程、日に何十回もやらせられるのだから堪らない。

扨て、次回は男と女の交る見世物の見物記を書くとしやう。支那では、以上に述べた女と女の卽ち磨鏡術に對して、此の男と女のインタコースを觀覧に供する見世物を活春宮（ワシンコン）と云つてゐる。だから當然、次回の題は「活春宮見物記」となる譯である。

（中華民國十六年九月下旬）

愛の魔術

酒井潔

私は目下二ツやり度い仕事を持つて居る。一は「古代東洋性慾教科書」。一は「愛の魔術」である。「教科書」の方は發表の部分が前後して、諸君に甚だ御迷惑をかけて相すまぬと思つては居るが、それには種々の障害があつて、私の思ひ通には行かなかつた。いづれ一本に纒める時には、系統的に書き換る考であるから、それまでは勝手ながら。今迄通りの不秩序な原稿を我慢して戴き度い。

所で「教科書」の方は先月號でカーマ、スートラの性交篇及びアナンガ、ランガの一部分が終つたから、今月はアナンガ、ランガの性交篇へ這入るのだつたが、殘念ながら上海移轉のどさくさで、稿を續ける事が出來なかつた。此の點深謝して置く。

其の代りとして「愛の魔術」の始めの方を一寸書いて見た。これは私の最も好きな仕事で、自分自身非常に力瘤を入れて居るが、種本となる可きものが皆どれも古い本で、仲々私共の手に這入らない。それが爲に期待される程のものは出來ぬか知れぬが、兎に角私はやつて見るつもりである。秘藥、呪咀、迷信等々皆愛の魔術の好題目である。私向きのもの許りである。面白いものが出來る樣に、天上天下のありとあらゆる魔法使へ、此の魂を押し賣りして願望を樹つるもの也と云ふ。

善い前兆。惡い前兆と云ふ事があります。朝食の時、丈夫な箸がポツキリと折れたり、外出の時、草履の鼻緒が切れたりすれば惡い前兆として、其の日一日は心持がよくありません。ましてや、凡そ世界中で一番感動し易く、鋭敏な心を持つて居る若い戀人達が一寸した……全くほんの一寸した、前兆、虫の知らせ、そうしたものに見るも痛ましい程、心を動搖さするのは當然な事であります。

善い前兆

▽夜の蜘蛛を見た時。

あなたは、御所望の戀人と一夜を過す可能性を信じてもよろしい。

▽栗鼠を見た時。

近い中に肉慾の滿足を得られます。

▽鳩を見た時。

戀人の心は得られました。

▽孔雀が羽根を擴げるのを見た時。

夫婦の幸福。

▽白鼬を見た時。

可愛いゝお洒落れ女の側へ行かれます。

惡い前兆

▽朝又は晝の蜘蛛を見た時。

愛に關する苦痛や心配が起ります。

▽時鳥が鳴くのを聞いた時。

瞞されそふですよ。

▽猛禽類を見た時。

あなたの情人の胸に嫉妬の炎が燃ね初めました。

▽鼬を見た時。

夫婦の倦怠。

▽蛇を見た時。

裏切り者の御用心。

▽蜥蜴を見た時。

瞞着されぬ御用心。

▽結婚當日に雛が歌ふのを見た時。

やがて、家政上の爭が起ります。

▽ヒース(バラ色の花を開く低き灌木)の夢を見た時。

お互の愛情はだん〳〵缺けて行きます。

蹄鉄は通常、いつでも縁起のイイ物とされて居ります、次の様な事はよく世人に知られて居る實事であります、新婚の夫婦が、其の翌日馬蹄鉄を見たなら、大喜びで、新夫人はそれを薔薇の莟ミで飾り、壁へ釘付けにして置きます。そして密月も過ぎ良夫が多少愛の倦怠を感じて不機嫌になつて來た時、此の可愛いい若夫人は、その善い前兆の蹄鐵を良人に示して、樂天的な以前の愛情を取り戻すのであります。

それから大した事ではありませんが、鹽壺を引つくりかへさぬ様に注意せねばなりません鹽と胡椒とが卓子の上で交り合ふのは一寸した爭ひの基になるものであります。とにかくそれは、善れ惡れ、何事か出たいする前兆なのです。

結婚した人の前へ、結婚指環を置いてはいけません。若しそれが切れたり傷いたりすると、離婚の前兆になります。其の外、犬や貓や、ヒキガヘルや、テンドウ虫なそを殺すのも惡い事で、皆夫婦生活の破綻を引き起します。何にしてもすべて殘酷な事をすれば、それ丈の酬を受けるのは當然であります。

善良なれ！！

これが、魔術なんか用ゐなくとも、幸福になる一番いい方法であります。然し「善良なれば幸福なり」と云ふ一句で片付けて仕舞ふには人間の精神生活はやや複雜し過ぎます。

ことに戀愛と云ふトラブルに引つかかつた場合にはですネ。

私達はよく茶殼が立つたと云つて吉兆とします。同樣に珈琲の煮殼でも占ふ事が出來ます。先づ珈琲の煮殼を三日間乾してから、それに少量の水を加へ鍋に移し、火にかけて、沸騰する前に取り降します。それから、それを完全な白い皿へ移し、兩手で皿を持つて靜かに搖りながら四方八方へ傾けて、其の上面を吹くのであります。すると珈琲の煮殼は水と離れ離れになり、皿の底へ沈澱して引つ付いた時上澄みの水を他の皿へ靜かに移し、跡に殘つた珈琲の煮殼で出來た形を見て次の表を參照しながら判斷するのであります。尤も其の出來た形が全然漠然とした物であつたら、勿論判斷のし樣はありません。

それから珈琲の煮殼と同樣な占ひ方を、卵黃、或は熔けた鉛でやる事も出來ます。其の方法は、卵黃の方から云ひますと、最初卵を半熟のドロ〳〵になるまでうでて、其の尖つた端を缺かして（圓い方の端をかかす事は禁物です。）皿又は白紙の上へ、やや上方から卵黃をたらしますと、それが皿、紙の上で跳ね散つて何かの形が出來ます。それを表に照して判斷します。熔解した鉛でやるには、冷水を一杯張つた皿の中へ、熔けた鉛をサツと打ちあげます。すのと鉛の熔液は多少厚味を持つた板金狀になつて或る形を作ります。

「珈琲の煮殼、卵黃、鉛の熔液等にて占術を行ふ場合、參照す可き表」

○直線。

夫婦間の狀態平和靜穩なり。

○曲線。

僞りの友、汝の妻をうかゞふ怖れあり。

○多くの曲線。

多くの僞友等、夫婦間の離反を望む。

○折線。

精神的の痛苦。

○折線を斜線が橫切る。

汝は心的苦悶を蒙るであらう。

○正方形。

幸福なる愛情、遺產相續の望みあり。

○正三角形。

新しく初めし戀の企てに希望あり。

○三角によつて作られた環。

愛の成功。

○大なる惰圓形。

趣味に叶ひし結婚。

○圓中に數點を有す。

將來子孫繁榮。

○圓中に三點を有す。

汝は確に男子を得るなるべし。

○十字形。

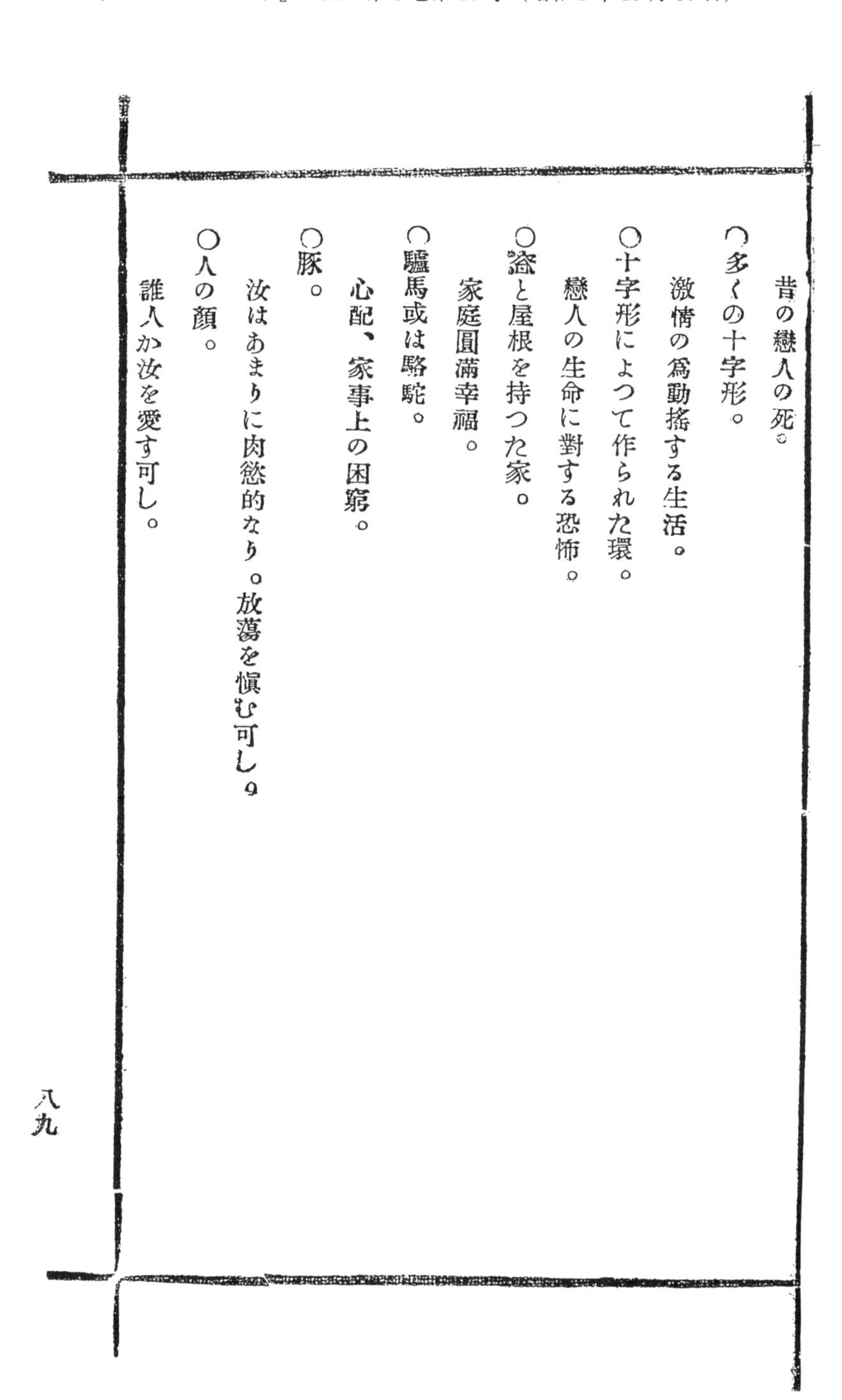

昔の戀人の死。

○多くの十字形。

激情の爲動搖する生活。

○十字形によつて作られた環。

戀人の生命に對する恐怖。

○窓と屋根を持つた家。

家庭圓滿幸福。

○驢馬或は駱駝。

心配、家事上の困窮。

○豚。

汝はあまりに肉慾的なり。放蕩を愼む可し。

○人の顔。

誰人か汝を愛す可し。

○二ツの人形。
此の愛情は分割されん。
○圓中の二ツの顔。
此の愛情は結婚によつて終極せん。
○二ツの顔が一線にて分たる。
離婚の訴訟。
○鳥
幸福にして永續する結婚。
○魚
愛の幻滅の增火。
○蛇。
嫉妬裏切。
○多數の花、或は星。

愛の勝利。

○柳。

愛の悔恨、啼泣。

○熊手。

一寸したる愛の障害。

○鎖。

愛の連鎖。

○熊手の羣。

愛の障害、不調和の増火。

例を示しますと、

珈琲の滓殼が皿の底に三角を作つた時は、

戀の企てに希望あり。即ち吉です。

卵黄を皿、或は白紙の上へたらして出來た形が柳であつたら、愛の悔恨、啼泣。卽ち凶です。

二人は具合に各々自分で實驗して御覽なさい。勿論占ひの事ですから、十遍が十遍此の表にある樣な形が出る事はありません。それで出來るまで精神をこめて試るのですな、默つて十五錢出せば住復切符と一錢のつりをくれる樣に簡單に行かぬ所に興味も價値もあると云ふ物です。

次にごく簡單な占術のやり方を御敎授しませう。あなたの心が何人もの婦人を撰み兼ねたり、愛のランデ、ブウを幾日にしようかと迷つた時は紙の占術を行ふのであります、いくつもの紙片へ、あなたの望みを書きつけて、それを重ねない樣に椀の中へ入れます。それからソツと水を注ぎ込む。其の時最初に浮んだのが、あなたの撰む可き答であります。

充分乾燥して居る抽出しの中へビスケツトを入れて置いて三ケ月後に出して見た時、それが黴かけて居たら、あなたの望はうまく行きませう。小さな菌が出來て居たら、神樣があなたのお呪に同意してくれた證據であります。

あなたは愛人からイエスかノーの確な返事を聞かねばも早や我慢が出來なくなつた、然し其の返事を聞く事は、あなたにとつて、生死の境であります。ためらふのを維が卑怯だと罵りませう？そうした苦しい時には次の様な占をして見るのであります。

硝子瓶（大きな）の中へ小石を落しますと、直に同心圓の連が出來て瓶側にぶつかります。其の漣の數を素早く數へて、奇數なれば、惡人はイエスと答へませう、偶數なれば遺ながら！ノー！です。

夜、室を閉め切つて卓子の上へ色樣々の寶石を隙べて圓形を作り、其の中央に太く短い蠟燭を立て、さて神に念じて火を點じた時、最初にどの寶石が反射したか？。

○青き寶石なれば、
近き內に幸福が來るであらう。
○綠の寶石なれば、
希望の實現。
○赤き寶石なれば、
愛の激情を期待す可し。

○紫の寶石なれば、
　喪の悲みを見るであらう。
○黄な寶石なれば、
　不貞節。
○褐色の寶石なれば、
　悲しみに涙をしぼる
○柘榴色は
　結婚の前非なり。


指環を用ゐる占ひ方。

先づ卓子の前に坐して、卓上に廣き鉢を置き、指環を一本の毛髪で結び、其の毛髪を拇指と食指とでつまみ、それを鉢の上につるし、不意に指環を鉢の中へ降す。すると指環は動搖する。其の搖れ具合で判斷致します。

右へ搖れたら、あなたの希望は信じられない。

右へ搖れたら、きつといい事がある。
あなたと反對の側へ搖れたら、戀は叶ひます。
あなたの方へ搖れたら、あきらめなさい。

處女の爲に。

(一)五月の最初の夜から九夜引き續いて月の出を拜むのです（其の時手鏡をいつでも持つて居らねばなりません）それから九日目の晩に其の手鏡を取り出して耳の下にあて、お星樣に未來の良夫の姿を見せてくれる樣に一心に訴願なさいませ。さて翌朝は早く起きて、外出し、最初に出合つた乞喰に施物を與へるのです。其の乞喰が男だつたらあなたは思つた方と一年の內に結婚する事が出來ます。然し女だつたら、もう一年待たねばなりません。

(二)結婚しようか、しまいか迷つた時は、階段の下で履物を投げて見る。裏が出たら、見合せませう。表てが出たら、すぐ結婚なさい。

青年の爲に。

(一)可能性のありさうな女の名を何枚かの紙片に書いて篩の中へ裏返しに入れ、沸騰した鍋の上に置く。すると水蒸氣が紙片を吹き上げて、どれかを引つくり返す。其の最初に出た名前の主があなたの未來の花嫁です。其の紙片の中へ白紙を交せて置いた時、もし其の白紙が最初に出たら、御氣の毒ですが、あなたは獨身の不幸な運命を背負つて居ます。

(二)時鳥の鳴いたのを聞いたら、すぐポケツトへ手をつつ込んで一枚のお金を握つて、斯う聞きます。

「時鳥よ。僕に戀人が出來るだらうか?」其の時、時鳥が二聲鳴いたら、いい返事、幾聲も鳴いたら、むつかしい。一聲なら、駄目。

マーガレツトの花辨を摘んで「愛されてるか?」「一寸」「非常に」「死ぬほど」「それとも少しも」。十六才の若鳥の樣な純な胸は、此の野の美しい花の花片によつて語られる運命をどんなにワク〱しながら見詰めたでしよう?

蒲公英の莟をフツと吹いて一度に飛び散れば、本當に愛される、少し殘ればだんく離れて行きませう。澤山殘れば、只不誠實のみが待ちかまへて居ます。

若い娘が縫物中に針を折れば、誰かが娘を思つて居るしるし。マッチ箱を引つくり返した時は、近い中に正式の結婚をするか、惡くすると墮落する。女が靴下を裏返しに履くと、愛のしるしか、其の思ひ出がある。女が杖を壞した時は、良人なり愛人なりに何か動物的の烈しい行動があるから用心しなさい。女が鋏の刄を壞せば、愛情に隙が出來る、兩刄壞せば、もう早や取り返せぬ。

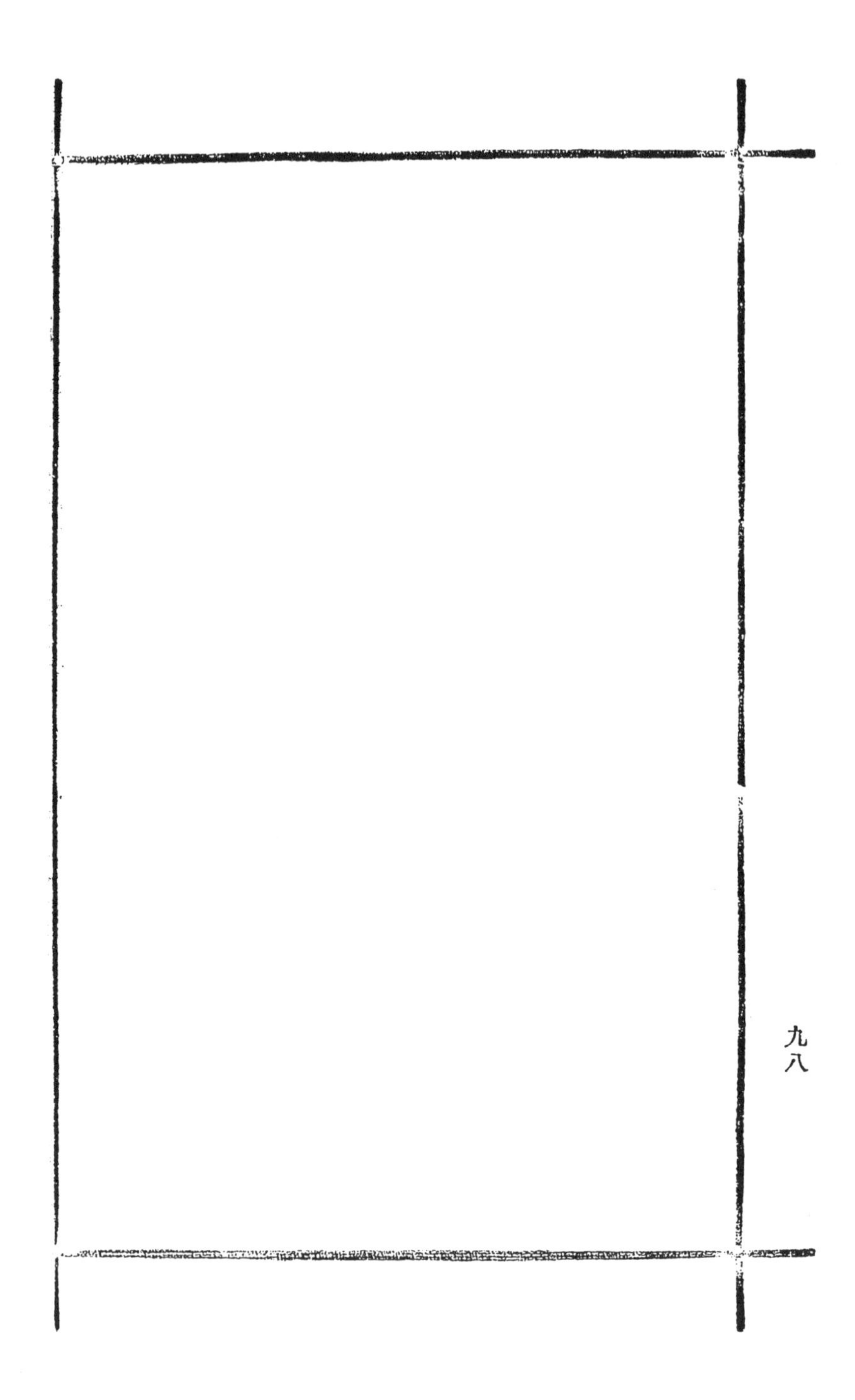
九八

陰陽語雑叢

佐藤紅霞

○天じ八

むしつの罪で流されなされたは筑紫の國じやけれど親父のつまらんのでこの廓へ流されてきたわたしじやがてうしていてもすへがつまらん物（もん）じやほんまの天神さんは天へ登つて雷におなりなさたといふけれどわしは毎ばん二階迄はのぼつて狐にはなれるがだん〳〵功經たところが狒々になるのじやそのはづじや寐間のつとめするのじやよつてどちら道四足はのがれられんと見へるまた管相丞は牛に乗やさつたけれどわしはまいばん大物（二）にのられるのじや。

（一）四足　（よつあし）閨事のこと、江戸末期の都々逸に

屏風の中おば覗いて見れば

足が四本でちくしやうめ
といふのがある。
(二)大物(うま)巨陽の隠語、説源は馬のやうな一物であるといふのに基づいたものである、これに就いて面白い話が石川雅望の「しみのすみか物語」に載つてゐる、茲に其全文を引用して見やう

大鼻某粟栖野にて美女に遇ふ事

すぐれて、鼻大なる男ありけり、世には、大鼻の某とぞよびける、用の事ありて、くるす野をゆきけるに、つぼさうぞくしたる女の、たゞ一人、さきだちてゆくあり、すきものなりければ、おひつきて見るに、十六七ばかりなる女の、ひとへめくものきたるが、きごめたる髪も、つやゝかにて、色しろうおかしげなり、とかくいひよりて、うちつれゆくに、さのみはぢらふけはひもなし、ともなふ人も見えねば、うれしくて、にはかに、かきいだきて、すすきおひしげりたる所に、ゐてゆきて、おもふさまにまきつ、さてははかまの紐しめなどし

て、心におもひけるは、かかる野中を、なほ〳〵しからぬ女の、ひとりゆくべきやうなし此野は狐あなりと、かねてもぞいふなる、我をはからんとて、やかんのすうなめりとてこゝろづきければ、つかに手をかけて、女にむかいて、「おもとは、よも、女にはあらじ、たうめにてこそあらめ、さらば、けせうに、かたちをあらはすべし、いかにやいかに」といへば、女、うちはらだちたるまみもてあげて「まろ、いかで、きつねならむ、わぬしのはなのしたゝかなるときたなき（陰茎）物のいみじうながきは、わぬしぞ、馬にては侍りげなる」と、こゑあらゝかにいふ時、又いらふべき詞もなく、そばさりて、（閉口）あしばやに、にげいでゝぞ帰りける「人をうたがひて、いみじきはぢ見たり」と、のちに語りてぞ笑ひける。云々

男性の生殖器と、愚との關係については、何れ筆を改めて、書くことにする。

（三）ざこ寝

ひつかける人
「イウヨみなよう寝ているはむきい、モウころした所はどいつをひつかけよとおれの

すいた儘になるが此うちにも宵からどふぞして一遍食ふてやらうとおもふているアノおたこじやテていつはおきいるときはぴんぴんとはねおつてとんと手に合ぬが此歴ときにそつと引かけてやらにやする時がないテなんでもこゝらに寢たはづじやテドレ〳〵ていつかしらんテなにぶんくらがりできつぱりとわからぬテゝゑらい　なんじや重たいやつじや

かかる入

「ムニヤ〳〵〳〵だれじや〳〵わるいことしてくれなおれをうち鍵にかけてどふするのじやこうした所は鯖丸だやうなけれどおれは鯰じやぞ

ざこねをつまむ入

「コレ〳〵じつとしていてくれやかましいふと外のやつが眼をさますとわるいまアわしのいふ通りになつて足も手もうごかさぬやうにそレてうするのじやヱゝぬる〳〵しているが女「わたいはモウてうなつたらおまへのすきになるで＿どちらみち仕まいは鍋の中へいれられるのじやテ。

（三）ざこ寢　雑魚寢（じやこね）男女うち交りて寢ること。

大原雜喉寢　阪本健一氏の『社會文學辭典』に

山城國愛宕於波羅は矢背の北にあり（名勝志）大原村雜喉寢とは蛇井平村の大淵といふ池に蛇すみておりおり里に出て人をとらんとす、そのあるく時は晝夜をわかたず、男女一所にあつまり臥してかくるるなり、これを大原の雜喉寢といふ、その夜男女かたらひをなすこととなり、これはその起りにて、（大原物語）といふ古き草子にしるせり、その後産砂神の拜殿に節分の夜男女參籠して通夜するとなり、江文明神の祉なり、大原の西南、山下平林の中にあり。祭る神倉稍魂命。云々

右、大原雜喉寢のことは、確か西鶴の『一代男』の中に、書いてあつたやうに、記憶して居るが、今手許に同書が無いので、彼の妙文を、此處に引用することの、出來ぬのを殘念に思ふ。

藤原雀庵の『さへづり草』松の落葉の卷、雜喉寢の條には、大原の雜喉寢の事について、次のやうな事が記してある

大原の雑喉寝は、山城國愛宕郡大原村江文(ふみ)明神の社にありと云、俳諧四時の部十二月晦日(或は云節分)の部におさめてその名高し、こはその昔蛇井手(じやゐて)村の大淵といふ池に、蛇すみてをり〳〵里に出て人を取らんとす、大蛇出るときは男女一所に臥してかくるる也これを大原のざこねといふよし、大原物語及山州名勝志に見えたり、按るに、そのかみおろちの説ありて、つびもりの夜此神の社につどひ集りしより、淫夫淫婦は時を得て、さてぬしある女も此一夜は神のゆるし給ふなどの妄説も出來たるものなるべし、しかるを神はゆるし給ふてもこれをゆるさゞる夫など出來てなほ世の中しづかになり行ままに道ひらけ、もの正しく成來しにつけ、これを恥る女も多くなれるより、いつか此事絶しにやあらむ、さるをなほ邊鄙には此余波(なごり)殘れるがありけり、そは諸州奇跡談大和國の條に、「十津(とつ)川のざこねといふ事あり、村中の妻子奴僕自他を撰まず、或は旅人等に至る迄行還りに、男女寢所を同くして交會すといへり、元來人目守の關なく、是が爲に嫉妬(しつと)の心曾てなき所の風俗也」よつて往古より色欲の爲に身命を失ふ者なしといへり、此所京都大坂より入多く入込山中ながら賑かなる土地也、瘡毒の病者多し、四時共に耕作の事には踈く、博奕（ばくえき）を常とす、所の風俗見聞するにいさゝかも違ひなし」と記せり、みだりなる邊土の風俗又甚しといふべし、右の書は享保年間の記にして、今を去る事一百余年今もなほしかりや否や、さて十津川のざてねはその時節定まらざれば、俳諧の季てふことにはならず、云々

尙ほ參考書として、次の二書を舉げる

性的行事としての盆踊の研究　北野博美氏著　　盆踊の研究松川二郎稿雜誌「地方」大正十五年七月號所載

（四）手桶番（ておけばん）

シイ〳〵ひかへ〳〵今日より。不淨陰經水月水樣の御兩方が此御屋敷で七日の御とうりようじやよつて此通りきびしい月役しているのじやそれじやによつて鬪ぶといい出家はいふにおよばず北山の圓光でも決して出は入いたすことは相かなはぬぞ早に（五）提燈をたたん

そかへりやしやれ達てさまたげすると（六）五人ぐみに申付るぞそれとも過急の用事なれば表門はふさがりじやけれどそつと（七）後門へ迴らしやれシイ〳〵ヱヘン〳〵

（四）手桶番　は月經の隱語である、その語源は往昔、吾邦宮中の女達が、週期病に際し、其期中不淨の體なりとて、大奥の勤務を許されず、御臺處の手桶の番人を命ぜらるる風習があつたのに基因する。

（五）提燈　老人の陽物の隱語川柳に

四ツ目やで隱居提燈張る氣なり

と。四ツ目やは四目屋藥の略語で强腎の藥の謂である、卽ち長命丸、帆桂丸などを指して云つたものである。

（六）五人組　男子自慰の隱語。支那語で五姐作緣といふ。

（七）後　門（うらもん）裏門とも書く、後庭花のことである。好色の男子が、天癸中の女子の後庭を犯すことは東西稀れでない、尚ほ詳しい事は、筆者の『性慾學語彙』下巻中 Paedicatio Mulierum「女性[illegible]道交歡」の條を參照されたい。

（八）お客さん

これは〳〵せつかくの御〆でござり升けれど夜せんから俄にお月のものがござりまして今ばんはふさがりでムリ升ヘイなんぼ男の功氣でぼん〳〵おつしやりましても奥はお紙で一ぱいにつまつてムリ升それでもたつてとならばお通し申升けれど大事の御客さんでムリ升よつてもし粗相があつてはあなたのおかほがよごれませうフエ、またちようづにいかんならんヲせわしな。

（八）お客　經水の隱語、川柳に
　御客の方を上へ組比翼絞

（九）居　膳（すへぜん）

目付でチヨツと美味を見せ仕打でオツに味をつけ鮑の貝の片おもいでヂレツ鯛の味噌漬などゝ持てみ終にチン〳〵鴨でお箸を取らせる手料理の居膳。

（九）居　膳　女より肉交せんと男を誘ひかかる事、俗に据膳をすゑるともいふ。川柳に

いやならばおよしと膳をきざに据ゑ

と、江戸末期の赤會本、玉淫開好成畫作の『女庭訓』の中に「膳のすへやう」なる記事がある、曰く

　先此男にさせて見たひと思ふならば目もとに情をふくむこともちろんにてことばのなどいろ〳〵あれども男のはらは大事をとるなりそのわけはうかつに云出すとんだはぢをかく事あるゆへ是もなどことばのみにてとかくてはしなきもの也父ゑんりよふかきか大事をとるかにてすみやかにゆかずされば人目なき時男ののみかけの酒をのむかくひさしのものをくうかする時は男もだまつてゐずその手をおさへるとき「あれさといひながらかた〳〵のてにて男の手をにぎり「わたしはほかのはいやだよこれがよいからでせらだからおくんなさいよといひながら男のてをぢつとにぎるこれにていかなるゑんりよぶかき生むすてにても「ハハアおれにさせるきだわへとおもふなり元よりさせやうとおもふ心ならば外のことぐづ〴〵しやうよりてみぢかに右のやうに

すべしされども女のきにてはもしはづかしいてとをしてひよつと男がのらぬときはほかへもれんてとぐわいぶんがわるいなぞとててろづかひするてとけしてむよう也女のはうからもちかけられたとへ外に色がいくたり有男にても又いろをしたてとなきかたぞうにてもいやといふ男は萬人に一人もなしすゑ膳をくわぬは男のはぢといふ事おはねたわけはでのいうのせかいに一人たりともけつしてあるてとではなし

もつともあの女がおれにかういつたのやれどうしたのとはなす男ままあれどもこれは大のうそ也其女をくどいた男にてつけくとはじしめられたればふいちやうされんてとをおそれせんてをてしてでまがさんといふてころなり。

云々

○身代りの咄

信仰一き者の、神佛によつて、危難を救はれたといふ話は、古來少なくない次の二話は、神佛の加護によつて、危き性的暴行から免かれたといふ、興味ある物語である。

去者散々わづらひ、頼すくなう見ゐければ、友達來りて、其方の病今は爲方なく覺ゆる偏に往生を願ひたまへ、又何にても心にかかることあらば、申置れよといひければ、病人聞て、能ぞや勸たもふ、迚命の存べきと思ひ待らねば、極樂往生を願申すなり、去ながら此頃と申すは、そんじやうそれさまと申す御若衆を、不圖執心に見てより、誰を便に此物思ひを傳へまゐらせんやうもなく、寤ては思ひ、寢ては猶君の俤のみ立添て、片時も忘るる隙なく、終になやみ待る、此事いひて無益と思へど、かつうは後生の障共成んと思、懺悔の爲に申すなりと、淚を流しいひければ、友達聞いて、さて〳〵左樣のことならば、杯と申されしぞその君は我等も心安く申合せ待るものを、いかならん事をも申傳へ侍るべきに、今とても此戀かなひ侍らば、其方の病本復せらるる事もあるべし、申して見んとて走出、彼若衆にかう〳〵と語る、若衆聞召、數ならぬわが身を左樣に覺し入んてと、痛敷御事なり、いかで否と申すべき、とく病人の許へ參り、二世の契約致べしと仰ければ、友達大に悦び、御供申し行しかば、病人感淚を流し、扨々有がたき御事や、最早露命たすかり難く覺侍る去ながら百年の御精も、只今の御出にて同じ御事。草葉の影にても、御思は忘れ申すまじ、御一代陰身に添て守り待らんと、大聲揚て泣居たり、貰て御盃成共といふ程に、若衆一つ請たまひ、付ざしにしたまへば、病人重き枕を漸揚、三度頂戴仕、一口吞と見ゑしが、其儘絶入ければ、一座の面々、聲をかぎりに呼話けれ共終に空敷なる、扨も〳〵本意なき事かなとて、泪ながら野邊にいたり、骨を高野山に納けり、其後若衆高野へ參りたまひ、彼者の卒都婆に向、一蓮托生の回向して、扨御下向まします所に、山の僧達十人ばかり打つれ行逢しが、此若衆を見るよりも、望所の幸と、中に取込押付、立替り入かわり、心のままにおこなひける、下人も詮方なくて迯けるが、さるにても大勢してたしなませまゐらせし程に、たまる事では在まじと思ひ　立歸りて見ければ、僧衆は一人もなし、若衆ばかり打臥てゐます、下人走寄、引起し參らせ、扨も大難に逢たまひしが、御心は何と侍るやらんと問ふ、若衆聞召、初僧達幾人も寄て、我を手ごめにせられし迄は覺しが、其後はただ寢入て　何事も知らずと仰らるる、下人承り、不思議に思ひ、又彼念者の墓へ行て見れば、卒都婆の後下の方に穴があいて有、扨は疑もなく身代に立たまふ、必守の神と成べしと仰られしが、屆きたる事やとて咲上つて泣いた。

女のまへをほどといふは、いとふるき世よりの名なるを、あづまのかたにては（一〇）ぼぼとぞよぶめる。茲にむさしの國何がしの郡、墨田といふ川のほとりに觀音堂あり、靈驗あらたなりとて、遠近の人々參りつどふこと大かたならず。いつばかりのことにか、同じ國かみ田といふ所の賤の女ども、六たり七たり打ちつれてまうでたりけるに、わかきをのこども十八ばかり、はしたなくよりきて、その賤のめどものうち、十三四ばかりの淸げなるわらはのありけるを、あららかにかきいだきてにげ去りぬ。母はらからもそのうちにありしかば、あなやとおどろきて追ひ行きけるに、堂の前なる並木のいたう茂りたる所にて、行方をだにしらずなりぬ。みぎりもひだりも、あしかやなどいみじうしげりて、いづこをはかと尋ぬべきやうもあらず。こうされもやしつらんとなきまどふほどに、娘いささかもつつがなく歸り來りぬ。人皆よろこびて、いかゞしつるにかととふに、件のをのこども川のほとりにゐて行きて、むけざまに打ちたふし、ゆゆしき目にあはせんとし侍りしが、年のほどはたちあまりにやとおぼゆるやむごとなき女房、つと出で來給ひて、そはまだよをおもひしらぬわらはにて侍るものを、なさけなしとはなちやり給ひね、さるほどならばみづから一人とゞまりゐて、いかさまにもとのばらの御心にしたがひまゐらせんとのたまふを、おのこどもよろこびて、それこそねがふ所なれとて、ひた〳〵と取圍み侍りしほどに、からうじてのがれかへりぬといふ。母はめから涙を拭ひて、そはいましが年頃信じ奉る、これの本尊のみかたちを現じ給ひて、とみの災難をすくはせ給へるにこそあらめ、まづその首にかけたる名號をとうで　をがみ奉れとて、にしきの袋よりとり出したりけるに、かの一軸汗ながれてゆげのたちたりければ、さてこそとて、つどひて見奉るに、くわんぜおんぼさつとかきたるぼの字の所いたくぬれたゞれて、わたり一寸ばかりが程穴あきたりけり。ふしぎなどいはんも中々にて、人みないとかしこくぞおぼえし。

（一〇）ぼゞ前出『さへづり草』女陰の名の條に、女陰の稱呼諸國異也、奥羽及北越又尾張邊にて、べゞとよべり。しかるに關東關西共に、小兒の衣服をべゞとなへてをかしとも思はず又越後にては小兒の事を、ほゞつことよびてこれ又かの土俗はおかしとも思はず、（中略）又按るに、べゞぼゞ五音通ずればぼはべの訛にやとおもはるれど、さにはあらでぼゞはほとの轉訛なるべし、書紀に陰を訓で保登とす、又古事記に美蕃登（みほと）と見らて共に同じ、扨右の古書どもによりて思ふにホトは火門の義にてやあらむ。同じく曾々牡々の條に曰。

物類稱呼に「江戸にて物のそげたつなどいふ詞あり、和泉及遠江邊にてはボボケタツといふ、江戸にてはさはいはれぬ詞也」といへり、按るに曾々牡々は記紀に見ゑたる火門（ほと）の訛にして同義也、（下略）尙ほ松岡調著『陰名考』を參照せられたい。

ほとといふ言葉について、思出されるのは、彼のとぼすと云ふ語である、これは交接の意を表はす近古の語であつて、三田村鳶魚氏の『東海道中膝栗毛輪講』上編の中に。

寛政六年版の塵山雜揉に「この項青樓に於て交合のことをとぼすといふ事大いに流行を極めたり、云々」と

出てゐるなは『語源不詳なり　或は女陰を「火處」（ほと）と云へるに因るか』と外骨氏の『猥褻廢語辭彙』に載つて居るが、雜誌「藝文」（何卷の何號だつたか今手許に無

いので一寸譯らぬが）に、菜氏が古事記に現はれたる火の神？とかいふ論文の末に「とぼす」といふ語は建築上の用語「とぼそ」の轉訛であつて、扉の竪框の上下に出突し居る部分、今は之を軸といふが古語で「とまら」といつた、そして其軸の「はまる」穴を古は「とほと」又は「とぼそ」と云つたので、右の軸（トマラ）を軸穴（トホソ）に合致させるといふことを、男女の性的動作になぞらへて、「とぼそ」といふ語が性交の意を表はすに至り、後轉じて「とぼす」といふ動詞に變化したのである、と考證してあつたやうに記憶する。

年代不詳「新ばんなぞづくし」に曰

御てん女中とかけてぶらちやうちん　心はとぼすとさけられる

○謎の解ちかひ

手前よろしき人の娘、婚禮しゆぴよくとゝのひ、五日がへりしけば、内の腰元娘にいふやう、嫁入の夜とかけたる謎はなんと解ますとなぶりければ、娘いふよう、それは逢そめ川と解といへば、只息子聞て、是は妹出かした、おれは又豆板と解かと思ふたといふた。

右は、探華亭羅山の『軽口浮瓢簞』といふ、小咄本の巻之三の、巻頭に載つて居る笑話である、が由來謎には、古今東西を問はず、春的分子を含むだものが少くない、次に江戸時代の謎のを本から性的なもの二三拾ひ出して見る。

はくちうち　さかみ下女　かぶせてとる

やすげいしや　よい〳〵　ころびそうだ

たいこうさまごくいいおんな　みんなしたがつた

いんらん　はりての石　だれにもさせる

よばい　かとぐちのうんこ　はいかける

やす女郎　上ずなとりさし　よくさせる

おんなゆ　両ごくのみせもの　八もんじややすひものも見ゐる

わらひほん　おだいめう　大きなおたふくだ

十四五のしんぞう　もうそうのたけやふ　まだけがはへぬ

おんなゆのひやうばん　ばんたのうりものかわらけ

むひつ　づぬけなちんぽこ　よめない

しうとのるす　いそぎのせんだく　みづてうし

かけたちやわん　子供のいろ事　おつ付てみるばかり

ふふれたきやく　おやぢのどうらく　せがれがおこる

しまやのばんとう　廿四から　おかまをほる

註　しまやのばんとうは、鷄姦の代名詞である、詳しいことは、筆者の『性慾學語彙』下卷 Paderastie「鷄姦」の條を參照されたい。

ゆげのどうけう　義太夫のさみせん　ふとざほ〳〵

よたかのはらおび　五月のにもの　かさご

よたか　鎧わたし　やすくのせる

うはきのおんな　長家のものほし　さほかづにかかる

ふで　毛ぶかおんな　上から入ると毛かじやまになる

ひいどろの德利　十五六のむすめ　わるとおやがおこる

まぶのきやく　あきたしるこ　もてあます
おまつり　ふうふの夜しごと　どんくかつかあさきへやる
留すばん女ぼう　お茶引た女ら　お床をあんじる
おうばさん　しほびきの鮭　ふところがあけばなし
女のよばい　あみうら　かぶせてとる
ほたる　かげま　しりでうれる
どびん　ぼうすのおもひもの　わかしにかかる
じやのめのからかさ　天下はれのふうふ　ひろげてさす
ほどのよいしんぞう　道中かご　たれものりたがる
やしきのおめかけ　すすはきのほこり　とのさんにつく
墨とかけて　あいぼれの男女　するほどいろがこくなる
女のよばい　ちよぼいち　かぶせてとる
おまつり　御女中の獨悦　うしをねりこむ

註　獨悅は自慰の隱語、うしは張形の隱語であつて、鎖目桃泉氏の『千牛譜』雜誌（「中央公論」第四十年第一號所載）の中に

○水牛　昔の淫具の隱語、牛角に作りしよりいふ。

○うし　とも云ふ。昔より川柳子の好材となり類句百に餘ると出て居る。　曰く

九百九十九人までは水牛。

お局のするは牛角の姬始

お局は牛の御前に長命寺

ひとりものてまる事　ごろ〳〵ゆさ〳〵むかふにかみがなりとなりでは大ぢしん

註　地震　男女の閨事の隱語、筆者の『日本猥褻語彙』を見よ。

まおとこ　赤かざとう　あまひから八がなめる　（完）

哈哈笑寸話（一）

清道士編

（一）ある夫婦の者、一義をする度々に女房に云ふやうは、そちが物はさがりて下に附きてし憎いと云ひけるを、隣りの者立ち聞に、再々聞いた、或る時かの男よそへ行きて留守の時、かの隣りの立ち聞したる男、留守女房の所へ行きて申けるは、吾々はちとよそへ參り候ほどに、あとを頼むと申ければ、何事にいづかたへ行き給ふぞと云ひければ、其事じや、よそに牛のへへが下りたる程に、上げてくれよと云ふ程に、上げに行くと云ふ。かの下に付きたる女房、なのめによろこび申やうは、人のはなをり申まいかといふ。牛さへなをり候ほどに、人のは猶々やすく候と申ければ、羞かしき申事にて候へども、我等が物が下り候とて、これのが常々嫌はれ候ほどに、あげて給はり候へと申ければ、心得候とて、尻に小枕をさせて、したたか喰はせた、さても賢い奴め。

（二）ある比丘尼　寄り合ひて、色々の物語をして遊ばれたる所へ、わやくなる者行つて、戸のふし穴より、私物を如何にも見事に仕立てて、によつと出す。主の比丘尼是を見付けて、やれ〳〵此處へ何やら知らぬ虫が奴出た。其處な金火箸を燒いておこさい。取りて捨てふと云ふ。金火箸の來る音を聞て、彼の物を引きければ、比丘尼うろたへ、今まで此處にあつたまらが無いと云はれた。

（三）又或る比丘尼三人連で通りけるが、道ばたに、馬めが彼の物を勃して居りけるを、比丘尼共尻目に掛けて、あらぬ顏にて通りけるが、先なる比丘尼ts へ兼ね申けるは、今の物はさても見事や、いざめん〳〵に名を付けうと申。後なる二人の比丘尼申けるは、さて〳〵よく御心が付いた。先々さきより名を付けさせられよといふ。さらば我等申出した事じや程に、付け申さうが、よからうか知らぬとて、九こんと附けられた。其のいはれはと問へば、酒は晝呑みても夜呑みても、呑みさへすれば、心が勇みて面白い。其の上、酒は三々九度とて、こん數は定まりて九度が本じや。それより上はあなたの氣根次第じや、これ程よい名はあるまいと云ふた。中なる比丘尼申けるは、梅干しと附ける、其のいはれと問へば、見る度毎に唾が引かゝると云ふ。後なる比丘尼鼻毛拔きと附る。何故にといへば、拔く度に涙が落つると云ふた。

（四）ある女房河へ洗濯せんとて行けるが、何としてか、女のさねを大きなる蟹が挾みて、何にとしても離さず、女房迷惑して、先々家に歸り、物に凭りかかりて、色青くなりて居りけるが、男餘所より歸りて、是はあやまちをしたるか、又はくらんげかと云へば、女房聞て、有りのまゝに云ふ。それは未だ離さぬかとて、女房の前を引き開け見れば、したたかなる蟹、爰を詮度と挾みて居りけるが、男色々樣々の才覺をすれども、此蟹少しもくつろげず。あたりの人の申けるは、穴を望みで附きたる生靈にて候程に、祈禱をさせて見よと申ければ、尤とて、あたりに山伏の有けるを呼びに遣はして、女の前を廣げて祈る。此蟹錫杖の音に驚きて、猶々締むる。如何せんと、詮議まち〳〵しけるが、山伏申やう、私是れまで參り空しく歸り候まじ。所詮此蟹を嚙み破り捨てんとて、大口あきて胯倉へ差し入、嚙み附かんとしければ、片々の鋏にて、山伏の頰先をしかと挾みける。色々才覺すれども、兩方ながら離さず。女房思ひけるは、蟹の面に小便かけて見んとて、したたかにしけるが山伏の顔にかかる事、ひとへに瀧に打たるゝ如くなり。男是を見て、女共のさねの事は挾み切り候共、未だ餘計が有るほどに苦しうも御座ないが、お山伏の顔に小便の掛りたるが何より迷惑　したと云へば、山伏聞て、小便のかゝつたのも、鼻の挾みたるも苦しう御座ないが、御内儀様のへへのくさいで、鼻がもげていぬるといふた。

(五)或人の女房、腹を再々痛がりければ、常々針立を呼びて立てさせける。或時又針立てんとて、女房を仰向に寢させて、今日はどこらが痛う御座ると云ひければ、おびしより下が痛いと云ふゆゑ心得申たとて、臍の下に立てんとて、そろ〳〵探りける所へ、斑猫參りけるを、針立是を見て、さても〳〵よい毛や、これ程の毛は有るまいと、猫を褒めければ、側にて男聞て、我女房のへへの毛の事と思ひて、針立を寄せなんだ。

(六)或る者、謠一義を企てんと思へども、子ども二人ありければ、成らず候程に、何とかして、子供を使にやり候はんと分別して。申やうは、此金輪を兄弟してなか擔ふて、川へいきて洗らへと申ければ、心得候とて、洗ひに行く、企てしみたる最中に、子供二人ながら歸りた。親共うろたへて申やう、何とて金輪をば洗ひ候はで歸りたるぞと叱りければ、兄息子申しけるは、よそにも晝つびがはやるやら、川に金輪洗ひがつかへて、洗はれぬほどに歸りたと云ふた。

(七)ある女房、十ばかりなる子を抱いて寢た、さて子が寢入りたゐと思ふて、男の所へ行きた。男のいふやうは、龜女が目が開かうが、何として來たと、云ひければ、そつと拔けて來たと云ふ、さて一義を企だてゝ、しみたる最中に、かめ女側へ寄りければ、母親申しけるは、われは何とて來たと云ひければ、かめ女申けるは、それもそつと拔けて來たと云ふた。

(八)津の國の中じまに、大百姓の比丘尼あり、毎年中津川の提が切るゝ故に、隣郷の百姓共寄つて彼の比丘尼の田の前を築く、家例として人足共の晝食の汁をば、此尼が取り行ふ、又或年提普請するに、尼何と思ふてやらん汁を出さず、せつ／＼其時の代官へ申上ければ、やがて召し出し、毎年の事を、何とて當年は怠たり申ぞと申さるれば、其御事にて候が、當年は我等が前よりも下の方切れ申候て、隣のけの上をつかせらるるに、なにとて脇から汁を出し候はんや、おぼし召し分けられ候へと申ければ、上下大笑になつた。

九）ある出家思ひよらず傾城町を通れば　やがて衣の袖を引かれて、是非に及ばず、しうげんを勤めて出ざまに、布施に取たる物を、これしきなれ共といへば、傾城これを見て、いや〳〵今日は我等の親の日にて候ほどに、それまでも御座るまいとて返しければ、出家聞て、それはなによりの御心ざし有難う候、さあらば袈裟を掛けて　そうものをと云はれた。

（十）酉の岡の左衛門は次郎が息子、牛のへへをしたとて　所の者共寄合ひて、か様なる者をこのまゝ置けば、七郷穢るゝと申候、急ぎ此在所を追ひ出す可き由詮議する、親此山を聞罷出て申やふ、何共迷惑仕候、此れは人の中なしで候はん、中々牛のは熱うてしらるる事では御座ないと云ふ、さては親奴もしたるとて、親子ながら追ひ拂ふた。

（十一）山寺の僧、親しき旦那に會ふて、さるゝは　此程は久しく若衆につかへ、迷惑致すと語る。旦那聞て、尤御道理や、何とぞ思案して、おにやけの張形を仕しんじ申さふと云へば、坊主満足して、そは何よりの御心ざし御座らふ、是非共頼み入り候、但し

とても の事に、好みがあると申さるゝ。如何様の御好と申せば、味をば〱の味にされて下されよと云はれた。

（十二）無道なる坊主、若衆を無理に押しつけ、たしなませて、後を指にてとりたものくじ是は何事ぞ、狼籍なる事かなと、腹を立てけれ共、是程味のよきは不思儀じや、中につびがあらふと云ふた。

（十三）其方の女房を人が盗むを得知らぬか　さてさてうつけじや、よそへ行ていにて、隠れて見附け、打殺せと色々云ひ含むる。心得たとて、二階に隠れて待つ所へ、案の如く間男来り、様々ちけいの餘りに、さて申よう、眞實思へば甜ぶるものじやが、そもじは我等を左程おぼし召さぬと云ふ。男の曰く、一命を掛けて此の如く参るに、御疑ひなされ候、今なりとも甜ろうとて、顔差し寄せけるが、あまり臭さに、鼻にてなづる。女房よく覺へて、いまのは鼻じやと云ふ、いや舌じやといふ、詮議まち〱するを、二階より節穴から覗き、よく〱見て、どちの勝負でも無ひ、今のは鼻じや〱と云ふた。（以上『きのふはけふの物語』）

(十四)有寺の老師の御物やんごとなかりける若衆なりけるを、一郎心を掛けてやる方なかりければ、小僧を文して参らせけるに、早速かなへ給はんとの仰なり。嬉しき事に思ひ老僧の留守に御無心申したりける所に老僧歸りめんぞうへ入らんとし給ふ。小僧驚き引とゞめけれどもすつと入給ふ。一郎動てんしてうろたへしを見て、一郎に似合はず如何にノヽとの給へば、一郎答へて曰く、夫れ知識とはしりしると讀めり、此答方老僧感じて赦されしと也。

(十五)有若衆のもとに、美しき娘の夜な夜な通ひけるが或時娘通ひ來て樣々、戯れけるを。、召使ひ候男此由を見るより浦山しく、心よくや思ひけん、側に伏したる草履取を捕へて無體に無心云ひければ、此草履取厭なれども、男むいきものなれば、おいざ、引んまくりて、したゝか物を無體に押し込みければ覺へず奧へのめり込み、かの若衆と娘の味やる最中へ、躍り込みける。若衆驚き、是は如何にと云へば、物をも得云はで、あな痛やと云ふて顏をしかめた。

(十六)有男若衆の元へ夜な夜な通ひけるが、若衆の母二十斗りの後家なりけるに此念者有時母親の方に掛かゝりけり、母は思よらざれは是は〳〵と云ひながら後は押し默りしたゝかに取らせける、息子是を見て聞ねぬ事と思へど、母親なれば是非なく居けるが又有時念者母と妹をやるを聞き間の障子をさつと開けければ驚き二人共に起きて、(三字不明) おもふりと云へば母はあの畜生め〳〵とてもの事に埒をあけをれと、又抱きついた。

(十七)有おのこ女房を持ち子二人有けり、あまり色てのみにて女房の妹をも時々くわへ、又若衆をもち寵愛しけり、女房是を知りて度々諫言を加へけり。男率誓文して女房の目を忍び座敷に若衆を呼ひて、屛風引迴し一儀の最中に、女房子を抱き妹は甥を負ひてかゝる體を見て妹はよそ見してにけざれは女房はさて〳〵淺間しき事やと叱りければ、今のは俺か勝負力じやと云へば。女房さても貪慾いめやと云ふた。

(十八)ある男暑さのまゝに裸になり風を入れんと思ひ奥の座敷へ行ければ折しも女房は晝寢をして居られしが。思はず知らずかの所を出して置かれければ男たまられず引起し風は入れいで、まらを入れられた。

（十九）ある有德人遊興の餘りに奥の座敷にて女房と寢ながら雙六を打ち後には女房の上へ乘り腰をつかふやら石をつかふやら汗水になり勢出し、肝心の時には震ひ聲になりて、つち／＼と云ふて雙六の胴は棄て、女房の胴を乾つと持つて締められければ、女房今度のはわたしか勝でござんと云ふ。男聞いてそれは何故にと云へば、さればこな樣よりわしが氣がたんと行たと云はれた。

（二〇）いたづらなる男、女房を持ちながら若衆を好き兩方ともに仕まつる、此女房も若衆に打ち込み口を吸ひければ、後よりかの男若衆のざるをみしらした。

（二一）さる大盡あるとあらん惡性をしつくし、あまりのまゝに春も中は花盛の折ふし、妾を眞裸にし庭の櫻の枝を持たせ、じわ／＼しわつかせ、我は仰のけに成り、ひたもの突き上／＼よき娛さみと喜びけるを召使ひし女見て浦山み、勘忍し難く側なる枯木に張形を結ひつけ顔をしかめ目を閉ぎよほどが間よがられた。

（二二）さる夫婦あまり仲よきまゝ千話てうじての後、男云ひけるは、親の仰はそむくと瞎[illegible]わもじの仰せとあるならば一命まてはと云ひれければ　これ眞の心なら　我そゝみるらんせと云ふて甜らせた。

(二三)さつと悪戯なる男隣りに乳母ありけるが内々折もかなと心かくれど折もなく打過ぎけるか或る時据風呂を焚かせかの乳母を呼びにつかはし、据風呂へ入れよき上り時分に裸になりすい風呂へ仕掛け這入ければ乳母動てんして上らんとすれば是非ともといひて押し付け、すい風呂の中にて本望とげられた。

(二四)大峯山かけ出の小伏日暮宿を求めしが其の女房に心を移し夜更人靜まつて忍び行そつとまくつて行なわれけるを知らなんだは可笑しかつたと話された。

(二五)ある若比丘人常に出入せし旦那の子にいよ若うて十四歳になる小人に心をかけ、ある夜其所にとまり、小人を欺し嫌と云ひけるを無理に抱き上、しゞの新ばちさせた。

(以上「男女まてばこ」)

附記、

落語とか、笑話とかの中には、性的要素を含んだ面白い寸話が澤山ある、其の中からなり丈上品なものを集めて見度いと思つて居る。讀者の間に見附かつたものを發表して行つて相當の數になつたら一本に纏め度いと思ふ。

宰相夫人と道化役者

酒井潔

昔し昔し、マムンと云ふ王様がありました。王様は王子方や大臣方を樂しませる爲に、バルーと呼ぶ一人の道化役者を召しかかへになつて居りました。或る日、バルーは王様の御氣嫌伺ひに參殿すると、王様は彼に着座を命じてから、

『コリセ化道の申し子！　何んと思つて今日は出て來たのじや？』

と仰有いましました。

『オオいとも畏き王様よ！　實は御機嫌伺ひに參殿したので御座います。』

『時に御前は新しい妻と、古い妻とをどんな具合に取り扱つたかネ？』

此の王様の御言葉は、バルーが先妻を嫌つて、新らしい女と結婚したのを皮肉つて仰有つたものであります。

『オオ王様よ！　私は前のにも今のにも滿足しては居りません。其の上、貧乏が私を抑

しつぶして仕舞ひます。』

『じや、其の事で何か話して聞かせないか……』

道化者は早速次の樣な詩の句で身の上話を始めました。

――私を不幸に繫ぐのは、悲しい苦しい貧の棚。其の下陰は、後ろ指。

――神さへ無情である者に、人がよく云ふ害もなく。

――私の淋しい住居には、貧乏と無慘があるばかり。

『それでは、お前はどうするつもりなんだ？』

と王樣が御聞きになりますと、

『神樣の方へ。豫言者の方へ。それから王樣の方へ參ります。』

とすかさず御答へ致しました。

『ヨシ〳〵、神、豫言者、それから予の方へ來るのじやな…… 予の方へ來れば十分接待してやるよ。だが、先づ御前が二人の妻とやつた事を斷つてくれるかね？』

『かしこまつて御座います。』

パルーは父次の樣な歌で始めましだ。

――私は大馬鹿三太郎。

――其處で二人の女を持つた。

――それから獨りで思ふには……

――私は二匹の羊を持つた。

――可愛いゝ二匹の牝羊の、お乳の上で遊ぶのだ。

――所がどつこい。

――やつらは二匹の牝虎で御座つた。

――夜を日についで、日を夜についで、休む暇御用振り。

――一人と寢た日にや、一人が嫉妬る。身體一つじや間に合はぬ。

――もしもあなたが伸び〳〵と、お暮しなさるつもりなら、只獨身に限る事。

――二人相手に出來るのは、女許りで御座います。

王樣は此の歌を御聞きになると、引つくり返つて御笑ひになりました。そして、此の面白い歌の御褒美として、大層立派な金々した衣装を御與へになりました。

バルーは有頂天になつて御殿を下り、丁度總理大臣の御邸の側までやつて來ました。所が御邸の高殿から、大臣の御夫人様が、道化者の様子を御覽になつて、黑人の侍女に仰有るには、

『オオ　メツカの神達！　マア御前御覽よ。バルーが立派な衣装を頂戴して來たわ。何んとかしてうまく取り上げる方法はないかしら？』

すると侍女は次の様に御答へ致しました。

『マア奥様。とんでもない事を仰有います。』

『だがあたしには、うまい計略があるのよ。』

『でもバルーは賢い男で御座いますよ。あれを欺す事なんかとても出來ませんわ。斯すのは、あれの本職では御座いませんか。そんな御考へは御止め遊ばせ。さもないと飛んだ目に合ひますよ。』

然し夫人は――『それはなる様になるさ』――と云つて、侍女にバルーを呼ばせました。バ

ルーは早速夫人の前に罷り出でました。夫人は一寸會釋して、

『オオ　バルー。お前はあたしの歌を聞きに來てくれたらうネ？』

『ハイ／＼奥方様。』

『それからお前は、あたしと一緒に御飯を食べてくれるでしやうネ。』

『御意のままで御座います。』

夫人は絶へ入る様な愛の歌を、いとも巧みに歌ひました。それから二人は御馳走を始めたのでありました。夫人は、

『あたしは、お前が其の衣裝をあたしに贈つてくれるのをよく知つてるわ。』

と持ちかけると、

『オオ　奥様。私は、自分の云ふ事を聞く女でなければ贈物はしない事に誓が立てて御座います。』

と巧みに外して仕舞ひます。

『それは一體どう云ふ譯なの？』

『と申しますのは、凡そ愛の結合に於て、如何にして婦人を喜ばす可きか。どうして愛撫するか。何が彼女達を喜ばせるか……斯うした問題を教へさせる爲に、神樣が私を御作りになつので御座います。オオ　奥方樣！　かの交合術の精通者が、此の私でなくて誰でしやう？』

此の大臣夫人はマムン王の姫君で、總理大臣の奥方になられた方であります。而て當時一番美しい貴夫　でありました。どんな勇士豪傑でも、夫人を見るとクタ／＼になつて仕舞つて、思はず誘惑の怖しさに目を伏せました。それ程の魅力を神樣が此の夫人に御與へなつたのです。夫人に一ト目見られた爲に苦悶の淵に陷入つたり、その爲に大變な目にあつた英雄達が、どれ程あつた事でしやう。實はバルー其の人も誘惑が怖しさに、いつでも夫人の招待を避けて居たので御座います。夫人から呼びに來ると、彼は心の平和を亂されるのを恐れて、今日の樣な不意の場合でない限りは、常に居留守を使つたものでありました。

バルーは今も夫人と話して居る時、自分の熱情を抑制する爲に、スツカリ目を伏せて仕ひました。然し夫人は、衣裝がどうしても捲き上げたくてならんので、

『どうしたらお前それを呉れるの？』

と聞きますと、

『交接！』

と、途方もない返答を致しました。

『マア、お前、交接の事をよく知つてるの？バルー。』

『神様にかけて、……　……誰だつて女の事について私よりよく知つて居るものはありません。それはとりもなをさず私の職業で御座います。マア、お聞き下さい。奥方様……世間の男達は、善良な心掛けと、勘定づくとで違つた職業を始めます。前者は與へ、後者は奪ひます。所が私一人は、どんな事にも引き込まれず、只美しい御婦人方の愛情に關する事丈考へて居ります。私は戀の病を回復さす術を心得て居ります。婦人方の飽く事を知らない下の惱を鎭靜さす事が出來るので御座います。』

夫人はバルーの此の話にすつかり驚いて、

『マア、バルー。ではお前、其の事について何か話しておくれかい？』

『御話致しますとも……』

『ヂャ早く聞かしてお呉れよ。』

其處でバルーは次の様に歌ひました。

詩は略す。あまり露骨な文字が使つてあるので、詩の形としてはどうしても適當に譯する事が出來なかつた。それで大體の意味を左に述べて置く。

世の中は、種種様様あつて、喜ぶ人も泣く人も、金持ちも貧乏人もある。然し私は大して富についは執着がない只婦人達の氣に入つて暮し度い、私は十分婦人達の相手が出來て、其の愛の炎を靜める事が出來る。若し私が御氣に入らなかつたら、御側からしりぞけて下さい。そうでないと一層思ひが募るはかりですから。然し出來る丈は優しく取扱つて頂き度い。私はあなたの保護者になります。あなたの頭の先から爪の先まで注意するでしやうそれから私達の間柄は、いつでも主從の關係であります。

此の歌を聞いて居る内に、夫人はボーとのぼせ上つて、夢中になり、股の間で杵の様に立ち上つた男の代物を探り初めながら『此の男に身を許したものだらうか、それとも止めたものだらうか』と考へて居る内に、彼の女の股の間がイイ心持ちになつて、ジメ〱と濕つて來ました。もう耐へ切れなくなつたので「二人がイイ事をした後でバルーが其の事を人に話したつて、誰も信用する様な事はあるまい」と一人點頭いて、バルーに著物を脱ぐ様に仰有いました。

するとバルーは答へました。

『否、奥方樣。私は十分やつてからでなければ決して裸にはなりません。』

夫人は身震する樣な樂みを思つて、腰帶を解くなり、部屋を出てお行きになりました。バルーの方でも「一體これは夢か本當か、本當か夢か……………」と、ひとりごちながら、夫人の後について化粧部屋へ這入つて行きました。

夫人は部屋へ這入るがいなや、圓天井のある立派な絹の寢床に打ち伏して、着物の裾を出來る丈御尻の上へ捲り上げました。それで神樣が彼の女に御與へになつた、總ての美しさを、バルーは自分の腕の中で見る事が出來るのでした。

バルーは先づ夫人の腹を調べて見ました。それは素晴しい丸天井の樣に、ムツクリともり上つて居ます。黄金の圓水盤の眞中に光つて居る、眞珠の樣なお臍に目を留めました。それから猶下の方へ行くと、オオ　其處には世にも美しい生き物がありました。バルーは夫人の眞白な、よく整つた裸の腿を嘆美致します。夫人の顔に愛情の影が現はれるのを見て、思はずしつかり抱きしめますと、夫人はもう我を忘れた様になつて仕舞ひました。夫人は自分で自分が解らなくなり、只バルーの一物を手に握つて、早く彼に氣を持たせやうと、それを撫で廻して御出になりますと、バルーは夫人に向つて、

『奥方様、一體あなた様はどうして此んなに私を御迷はしになるのです……』

『オオ默つて……此の惡者！　あたしは交尾期の牝馬の様になつてるのよ。お前はうまい事を云つて、あたしを興奮さして仕舞つたんだもの。まあ何んて話し方をするんだらう！　お前はあたしを夢中にさして仕舞ふよ。世界中のどんな貞淑な女だつて、お前の話を聞いては、きつと參つて仕舞ふは。』

『私と大臣閣下とは、どんなに違ひませうか……』

『それは……人間の女が情慾に燃ゆる時は、自分の夫とだつて、他人とだつて同じ事よ。牝馬が興奮するのと違ふのは、馬は一年の間に一定の時しか性慾は起らないが、人間の情慾はいつだつて愛の言葉で燃え上るのよ。あたしは今、馬で云へば交尾期である

上に、お前の言葉ですつかりのぼせて仕舞つてるの……サア御前の御留守の間に早くおしよ。もうぢきに御歸りになるわ』

『オオ奥方樣。私如きものはあなた樣の上へ乘る事は出來ません。あなた樣は私の上にお乘りになつて、男がする樣に遊ばしませ。そしたら此の衣裝を差しげて御暇を戴きませう。』

其處でバルーは夫人と一緒に立派な寢台の上に寢ころびました。彼の一物はすでに腿の間で圓柱の樣に勃起して居ります。夫人はいきなりバルに飛びかかつて、男の物を握りながら、色々と擦り初めました。夫人は彼の一物の大さ　立派さ、力強さにすつかり驚嘆して、お叫びになりました。

『これが總ての女を破滅させ、不幸にする原因だわ。オオ　バルー。あたしはお前の物程立派なのはまだ見た事はないのよ……』

夫人がバルーの一物を、自分の前へお當てになりますと、彼の一物はすでに、ゴム質の粘液をボトボト洩し初めました。又夫人の貴重な令孃は、「オオ　早くお這入りよ」とでも云づてる様に熟し切つて居りました。でバルーは夫人の前へ一熟をさしつけ、夫人も亦上から御尻をグットと降しますと、彼の一物は、夫人の燃え盛る坩堝の中へスッパリ這入つて仕舞つて、一分も外には殘りませんでした。

夫人は往つたり、來たりの運動を開始しました。お尻は前後左右に篩の樣に搖り廻されます。オオ　此んな搖り方と云ふものが三千世界にあるものでしやうか……夫人は此の動作を氣の行く迄お續けになりました。赤子が母親の乳房を吸ふ樣に、夫人のお香箱はバルーの一物に吸ひ纒ります。そして二人とも同時にエクスタシーに這入つて、同量の快樂を分ちました。

夫人はバルーのお道具を靜かに拔き出し、つらつらと見て「マア、本當にこれが男の價値を上げるものだわ」と云ひつつ、絹の布切れで拭き、次には自分のも拭いてしまつてお起きになりました。所が、バルーも起き上ると、そのまま出て行かうとしますので、夫人は驚いて引き止め、

『オオ、衣裝は？……』

『何んと致しまして奥方様。あなたは私の上へお乗り遊ばしたじやありませんか？其の上まだ贈物をせよと仰有るんで御座いますか？』

『だつて。あたしの上へは乘れないつて、お前が云つたじやないの？　お前は自分の腰を骨おしみしたんじやないか……』

『何、そんな事は大した事でも御座いますせん。つまり第一回はあなた様の爲。第二回は私の爲。それから衣裝は奥方様のもので、私は退出すで致御座りませう』

夫人は「一度した事を二度すればイイのだ。そしたら此の男は衣裝を置いて歸るだらう」と考へて、又横におなりになりました。然しバルーは更に云ひました。

『奥方様！　若しあた様がすつかり裸におなり下さいませねば、私は決して寢ますすまい。』

其處で夫人はすつかり裸になつてお仕舞ひになりました。バルーは此の素晴しい裸身の美しさに、見とれて呆然としましたが、正氣づくと、一ツ一ツ手に取る樣にして、此の比類なき美しさを觀賞致しました。素敵な兩腿、丸い臍、象牙の樣に眞白で、フツクリ盛り上つて居る下腹、よく整つた胸にはヒヤシンスの蕚の樣な、ムツチリした二つの乳がのつて居ります｀羚羊の樣な優美な頸、開いた口は指環、唇は血を含んだサーベルの樣に眞赤です。齒は眞珠、頰は薔薇、パツチリとした黒い瞳、眉はいみじくも描き出だされた美しい弓形です。額と來たら、滿月の其の容に外なりません。

バルーは愛撫を初めました。唇を吸ひ、咽喉に接吻し、それから頰の方へ口をずらして行きました。それから乳に嚙みつきます。すがく〲しい唾を吸ひ取り、腿に嚙みつきます彼は夫人が恍惚となつて仕舞ふ迄、そうした愛撫を續けました。夫人は何かブツく〲つきながら、目は朦朧と霞んで行きました。時こそ來れと、バルーは身を伏せて、夫人の肝心の所へ熱烈な接吻を與へました。最早夫人の手足はピリツとも動きません。眞白なドームの眞中に、一筋の紅を流した樣な美しい、見る人の目を釘づけにせねば置かぬ夫人の見事なものをバルーは燃え上る熱情を持つてヂーツト見詰めました。バルーは思はず

『オオ　誘惑物！』

と叫びながら、猶も彼は夫人の身體中を嚙んだり吸つたりするのでありました。

夫人は溜息をつきながらも、バルーの　物を握りしめて、自分のものにあてがひました。でバルーは早速腰の運動を開始すると　夫人の方でも滿足するまで、下から力一杯持ち上げるのでした。やがて歡終つて二人とも起き上り、身づくろいしますと、バルーは又其のまま出て行かうとしますので、流石の夫人も屹つとなつておとがめになりました。

『バルー。　衣裝は何處？　お前はあたしを愚弄するの？』

道化者はすぐお答へ致しました。

『どう致しまして、奥方樣。私は只、衣裝と報酬とを區別した丈で御座います。』

『ヂヤ、其の報酬と云ふのは？』

『マア〳〵、先づあなた樣が遊ばして、次に私が致しました。つまり第一回はあなた樣の爲、第二回は私の爲、第三回が衣裝の爲で御座います。』

そう云つてバルーは素早く、眞裸になると、いきなり夫人に抱きつきますと、夫人は其のまま又床の上へころがつて、呟きました。

『サア、もうお前の好きな樣にするがイヽわ……』

バルーはすぐ夫人の上に乘りかかつて一息に根元まで押し入れ、丁度杵で搗く樣にしますと、夫人はお尻を搖り上げながら、一緒に恍惚の快に醉ひしれて仕舞ひました。それがすむと、やつとバルーは衣裝を夫人に手渡して御居間から退出致しました。其處で侍女は夫人に向つて云ひました。

『それ御覽遊ばせ。妾の云つた通りで御座いませう。あのバルーときたら、とても喰へた男では御座いません。あなたはちつとも得をしてお出になりませんよ。あいつは人を欺すのが商買で御座いますわ。』

『そんなにガミ〳〵云ふ事はないのよ。只なる樣になつたまでの事だわ。總ての女の御道具と云ふものは、其の廣さ、深さに從つて、這入る事の出來る者の名がチャント登錄されてあるものよ。合ふ物、合はぬ物、好きな物、嫌な物……と云ふ具合にネ。若しバルーの名があたしの物に書いてなければ、彼のものだつて、又は世界中のありとあらゆるものだつて這入る事は出來ないわ。つまりあれのものがあたしには合つて居たのよ。』

斯う夫人が話していらつしやる時、門の外で戶を叩くものが御座います。で侍女が誰かと聞きますと、バルーの聲で「私です」と答へます。夫人は氣味惡るさうに、用向を歸かせますと、「水を一杯下さい」と云ふ賴みなので侍女は水を持つて行つてやりました。バルーは侍女から器を受け取る時、あやまつてそれを地上に落して破して仕舞ひました。それで侍女は早速中へ馳け込んで門を閉させますと、丁度其の時、總理大臣が御歸邸になつて、門前に居るバルーを見付けて、言葉をお掛けになりました。

『オヤ、バルー。お前はどうして此處に居るのだネ？』

バルーはすかさず、

『オヽ閣下よ。實は私が此の町を通りかゝりますと、大變咽喉が乾きましたので、御邸で一杯水を御馳走になりました。所が運惡く、其の器を落して、これ此の通り破したので御座います。すると奧方樣が、不屆き者奴。其の辨償の爲だと仰有つて、私が先刻王樣から頂戴した衣裝を取り上げてお仕舞ひになつたので御座います。』

と國々しく申し上げました。

『それや奧が無理じや。衣裝は御前に戻すのが本當だ！』

そして丁度出迎ひに出て來た夫人に向つて、衣裝をバルーに返してやる樣に仰有いました
それを聞くと夫人ははず手を打思つて、あきれながら、
『マ、バルー。御前のやつた事をよく考へて御覽』
するとバルーはすましたもので
『ハイ、奥方樣。私は自分のやつた愚かな事は、たつた今閣下へ申し上げました。で、今度は奥方樣、あなた樣の御理窟を仰有られませう……』
夫人はスッカリ彼の奇智に感心して仕舞ひ、とう〳〵骨折つて取り上げた衣裝をバルーに返しておやりになりました。其處でバルーは衣裝を肩に打ちかけて悠々と御暇致したので御座います。

註、此の物語は天下の奇書、『匂へる園』中の一話である。此の書はいづれ例の『愛に關する世界的珍書』の第何篇かに完譯される筈であるから、詳細は此處で述べぬが、此の一物語を見た丈でも如何に『匂へる園』が面白い重大な本であるかが想像されると思ふ、私が屢々云ふ通り、同書はアラビアの愛の聖典で、此の種の古典中最高位に置かる可き物たと思ふ、此の書の邦譯の出現は、諸君がその位期待したつて、し過ぎると云

ふ事はない。所が今回本誌に載せた一物語の譯は完全なものでない。丁寧に譯する暇がなかつたのさ、いづれ完全なものが出るから、今度は只見本としてお目にかければイヽと云ふ所があつたので譯筆が粗雑になり一部分は抄譯になつて仕舞つた。此の點幾重にも深謝致します。

（下巻）明治性的珍聞史　その（一）

梅原北明（編）

よく見れア兄弟だ

巡り逢ふ縁淺からぬ淺草の吉野町に細き烟も女の手業小糸を指南に世を遊る安井とき（十八）は母のきん（四十二）と共に昔をかこち今の身を操り返しては女子供に稽古をなし居たつが終には近所の若い者も一人り二人り弟子となり夜毎とに吼へ合ふ狼連の其中でいつしか同所田町一丁目の小池貞吉（二十二）と深く語らひしを母のきんは勘附きパッと世間へ知れし日には外の弟子も減り活計の邪魔どふした物と案じる折り幸ひ人の勸めにときをば宇都驛宮へ藝妓の出稼ぎに遣りたる後誰れ一人り音信る者もなき時を貞吉は常に替らず夜毎とに尋ねアレコレ問い慰むる淺切にんも思はす心の紐解け獨寢の淋しき夜半を語り明かち中とぞなりたり抑も此きんには元と德十郎（四十四）となん呼ぶ夫とありしが仔細ありて別々〳〵になり問ひ音信れもせざれば今は何處にどふして暮らすやう互に知る由もなかりしが德十郎は久しく土細邊を彷徨い此頃東京へ歸りて仄かにきんが吉野町に住居すると

聞しゆゑ去月の末尋ね來て互に無事を祝し合い過き越し方の物語りに盃の數も重なり其儘其處に轉た寢の德十郎に風引さじと小搔卷を被せんとする折り貞吉は來掛りて夫れを見るより嫉妬の焔胸を焦して堪へられねば竊に裏口へ廻り戶を蹴散し暴れ込む物音にきんは吃驚德十郎も目を覺し二人り共一目散に表へ遁け出したれば跡には誰も相手なし手持ち不沙汰の貞吉も表へ飛び出し近所を廻りて歸らんとはしたれど合點行かねば心も殘り再び戻て門口に樣子を伺ひ居たるが德十郎は其儘歸りも來ずきんのみ稈置て氣味惡る氣に歸るを待ち取て抑へて無理難題きんは何んと云ひ解けも困じて果て急に持病の癪が差し込みウンと一聲反り返る有樣にコハ大變貞吉は表へ驅け出し急き足に行かんとする後ろよりムウと組つく者あれは膽を潰して振り放し逃んとするを遣らじと挑み合ふ其中へ通り掛りし人力挽きの態吉が割つて入り顏と顏の間へ提燈を突き附け二人り共マアく待つてと云ふより早く顏見合はせ其方は弟貞吉かそう云ふ貴方は兄の德十郎だと互に握りし拳も緩み兄弟が一別以來の出合い頭喧嘩の原因は云ふに云はれぬ其場の仕義中へ這入つた態吉がハツタと手を打ち其納りはコレくと直ぐに宇都宮へ飛脚を立ててときを呼び戻し改めて貞吉と夫婦

の忝徳十郎は元の鞘丸く納めて波風立たぬ祝言はツイ二三日跡の事

（郵便報知新聞明治十年十月三日第千四百八號）

よくあるやつ

上瀧谷村の安藤平藏の娘おみね（十九）は同村の小林春吉（廿一）と昨年中より乳繰り合しがいつしか情けの種を宿して袖褄にも穏されぬ程になりしにぞおみねの母親は痛く心配して相手をほぢくり春吉といふ事が分りければ密かに小林が方へいたり春吉のお母と相談して持參金百圓と田地を三反つけておみねを春吉へ妻合する事に取極めいよ〳〵六月十五日に結納を交換すといふ前日に媒人を賴みて夫と平藏へ云々の由を吐させ定めし御惑には濟まいが是も娘どの和姦から起つたことゆゑ勘辨さつしやれと云ふを聞も敢へず昔し固氣の平藏は怒り出し和姦も藥罐もあるものがソンな尻早の娘に先祖傳來の田地などを遣るは相成り申さぬ。ナニお互ひにすいた中だから。イア如何なすいた中でも親を甘く見をる奴に百圓の持參などどは以ての外だと劍もホロロの挨拶に媒人も母親も仕方なく婚姻破談の趣きを小林へ斷りに及びければ春吉も立腹しナニ那ればかりが女なものか今に立派な嫁を貰つて平藏父親に見せ附けてやらうと夫より諸方を探して相應な口を見つけ結納も濟みて今月十九日にいよ〳〵祝言と極り新聟と新婦はイザお床入りと云ふ處へ右のおみね散し髮にて座敷へ暴れ込み春吉の胸逆を捉へて恨みの數〳〵を並べ立て腹の子の仕埓を附けねばいつまでもてこは動かぬと泣叫きけるにぞ花嫁は肝を潰して跣で卿へ逃げ歸り平藏も駈つけておみねを連れ戻りたるが其後ちだん〳〵人も入りて生れ兒は出產後二百八十日おみねの手許にて育て跡は春吉が引取る談判にまとまりけれど花嫁の方は親類一同の不承知でとう〳〵離緣となりたるよし和姦の男女も惡いが頑な親父の強情がなくばコンな騷動にもなるまいに。（東京日日新聞明治十一年十月廿三日第二千六十六）

點檢

一昨十日の夜十二時頃麴町平河町四丁目牛肉屋の二階で二た目と見られぬ獅子ッ鼻のツタ（十七年）といふ女が名詮自性にや七十錢の約定にて永田町邊の書生にいちやついてゐる處へ其の筋の人か踏み込み兩人共に拘引になりまた六日の夜更けに何か怪しきことのありし

故か赤坂邊の或る料理屋へ其の筋の人が踏み込みしに一人の藝妓はドロンと消え失せ座敷に毛布を被り蹲つてゐるものがある故何ものなりやと尋ねければやんごとなきお方の苗字を名乘られ拙者は此の家にて一盃傾けし處不快にて暫時休息せしが最早快氣ゆゑ早々歸宅するによりゆるせ〳〵とケツトの中より申されしとなり。

（朝野新聞第千六百〇一號 明治十二年一月十二日）

稻荷樣覺えがあらう

本芝三丁目の靑物問屋竹原千　六十二）は年でこそ老りたれ中〳〵の達者ものにて穴と見れば爛の燒穴でも唯は通さねと云ふ爺なるに女房のお富（五十一）は又大の嫉妬にて牝猫すら亭主の傍へ寄せつけぬ權幕なれば年甲斐もなく淫事の差しもつれより出るの退くのと云ふ喧嘩の絕ゆる間無かりしが一昨年の春おとみは信州の善行寺へ參詣に行きたる留守千吉は例の床淋しくて十三の年より此家に奉公する羽田村の漁師の娘にてお常と云ふ今年廿六の年增を口說つけ鬼の留守の洗濯也と爺も何處かの皺をのばして樂しみけるが程なくお富も歸り來れば何氣なく兩人は遠ざかり居たるにお常は何時しか千吉の種を宿して腹のだん〳〵に脹れ上るにぞ今更らよしなき事をして退けしとひ思はれたゞ是れが表立ちては山の

神の暴びは如何ならんと千吉はお常に勸めて暇を取らせ買出しの資本のうちより五十圓餘りを分ち遣りて㓜田村の家へ歸し其後は損毛に懲りてか浮氣をやめる了簡になりしかば流石のお富も是等の魂膽を鑒でのす唯夫老人らしとなりたるを悦び居けるが昨年の暮れ密柑の價廉くて賣高の殊の外多かりければ定めて店の儲けも餘程の事ならんと此ごろ賣揚勘定を始めたるに思ひの外帳尻に五十圓餘の不足を生じ仕入れにも行足らぬ程なればおとみは忽ち怒り出し此の不足何は處の穴へ埋なされたサア往途を明しなされと迫り立てられ千吉も據ろなく實は俺の不了見からお常の腹を脹ましたる其の手當に遣りしと云ふにお富はますく猛り立ちて矢庭に夫を突き倒し表の方へ飛び出したれば雇人どもも肝を潰しワリア身投げか首縊りか兎に角お神さんに怪我をさすなと跡より追かけて走るにお富は櫻田より溜池に來り赤阪の豊川稲荷にかけ込みてエヱ悔しひく〱お稲荷さまあなたも女だから覺えが阿らう大擧の亭玉をお常の阿魔に寢取られては活きて居られぬ私しが死ぬか那奴を殺すか一七日のうちに利生を見せて給ひ玉へと社檀に座り込みて迎ひの者がいろ〱に勸むれども些とを動かず社僧へは斷食を申し込みて腹が減れば丸燒の芋を取り寄せ喰では祈り祈

つては喰て居るよしこのくひ芋にたゝる女も無からうと其近邊にての評判

(東京日日新聞第二千一百五十二號 明治十二年二月十日)

カテイトルの失敗

木挽町九丁目の北澤彦兵衛が女房おきく(廿七)ハ先ごろ腹の膨れ出して小水の通じがなくなりたれバ世に謂ふ脹満とでも云ふものにやと同所五丁目邊のある醫者に頼みたるに右の先生ハ早そく來りておきくの腹を撫で迴はしいや是ハお目出度いしかも左り孕みの男の兒に違ひなければご心配どころかお祝ひなされと落附き濟して歸りたるが病人ハ次第に腹の張りて最はや五六日一滴の小水も通せざるにぞ頭痛に兼て眩暉を發し嘔氣を催ふして死ぬばかりの苦しげに亭主ハ棄ても置かれず再び先生の來診を頼みて何ともして小便の通ずるやうに御工夫下されと云ふに彼の先生大に手餘りたる様子なりしが頓て一人の醫師を連れ來り此の先生ハ其筋より免狀を渡されたる府下にても屈指の大名醫ゆゑ我らと兩人して療治せば決してご心配なさるなと大袈裟に嘘込みて撫ていよ〱治療に取掛る時跡の先生ハ彦兵衛に向ひ内儀の容體でハ迚も飲藥の功を奏すべきにあらず依て器械を以て尿道の

通じを附るなり是ハ大切の場所なれば一應お斷り申すと云ひつゝ紫も海老色と變りたる縮緬の服紗より一本のカテイトルを取り出だし眞地兩腐りておさくの裾をまくりそろ〳〵と陰毛を掻分てやがて陰門へ差し込みたるが此の先生便道と陰道の區別を知らざりしか管を陰道の奥へ入れてやたらに實つくにおさくハ子宮を突き廻されて痛みに堪へずアゝ痛い〳〵ドウも是でハ耐へられぬモウ死にます先生早く拔いて〳〵と泣聲になりて悶掻き廻ハられ先生もコイツハ失敗つなりと思ひしか態とさあぬ體にしてイヤ最う少こし辛抱しなさい今に出るとよく成ると云ひ紛らしそと引拔て今度ハ肉核の上下を突き廻ハすこと二三時間遂に正眞の便道に探り當らずして止みたれバ病人ハ内外の苦痛に今ほと〳〵絶命すべく見ゐしにぞ彥兵衛ハいよ〳〵驚きて急ぎ東京府病院へ駈け附しかバ宿直の醫員某氏ハ速かに出張ありて客體を篤と見終り是ハ妊娠でも何でもなく全く慢性の子宮炎なりての焮衝を起せし處を捧で突かれ溜てるものかはと打笑ひて其樣の療治を施こされおさくハ程なく小水の通じて命拾ひをしたりと云へり病で藥りせざるは中醫に當ると云ひしも可樣な數先生のある故ならん誠に怖きことにこそ（東京日日新聞第二千二百十七號 明治十二年四月三十日）

煩悩の父

神田淡町に平口綱吉（三十才）と云へるものあり年ごろ父と只二人にて住みしが先ごろ綱吉ハ湯島より妻を迎へていと睦ましく暮すを父ハ頻りに嫉ましくも又た羨ましく成りて我子の嫁とハ云へ悪くからぬ姿なり折あらば云ひ寄りて思ひを遂げんと待つ内に或る日の朝綱吉ハいまだ寝床に打臥して嫁ひとり起き出で竈の前に火を焚きつけ居る處を父ハ此時こそとソツト寝床を起き後ろより抱きつくを嫁バ驚きて振り返り見れば舅なり淺ましきことに思ひて他事に云ひなしツト起ちて表へ出でぬ稍ありて内に入れば綱吉も起きいで舅ハ素知らぬ顔にて煙草くゆらし居るゆゑ夫より朝飯の支度もすまし舅の出で行くを待ちて窃に夫に今朝のことを物語るに綱吉も呆れ果てしが好し／＼夫と無く止めさする手立あり其ハ云／＼と囁き示して翌朝ハ綱吉が一早く起き妻の着物はふり手拭うち冠りてかまどの前にて摺附木をすると音に父ハ目さめて又も挑みて見んと例の如く後ろより抱きつき我頬をもて嫁の頬へヒタと押し付くるとき親爺どの何せらるゝぞと云ふ聲に驚きて見ればコハ如何に嫁と思ひしは息子の綱吉なり地にも入りたき心地ハすれど流石ハ年の功ぬからぬ顔に

て我子と云ふものは幾つに成つても可愛いものだと云ひ拔けて口漱がんと表へ出で去るを見送りて綱吉もおかしさを隱し是ほどの恥をかきたらばよも再び口說くまじと妻にも語りて打過ぐるに又ハ是れより深く嫁を憎くみ僅の事にも罵り叱りて一日も居たゝまらねば綱吉ハ餘義なく夫婦にて湯島の方へ別居しけるに父ハ日ごとに爰へ來りて酒など飲み嫁の顏を見てはおかしな目附などする否らしさは限り無けれど舅のことなれば云ひ懲らす譯にも行ず好き程にあしらふを此奴まんざら否でも無いなと兩三日前に綱吉の居ぬを伺ひて湯島の家に行き樣々と挑みし上に果ハ手込になさんとせしを嫁も今は堪へかね散々に恥かしめて那處へか遁げ去りしかば一人角力も取れぬと呟やき〳〵淡路町へ歸りたる迹に綱吉ハ戾り來り妻の居らぬを怪しみて尋ぬれど影さへ見えず近所の者に聞ても知らぬと云ふハ必らず親爺の來りてつゝき出せしならんよ日ごろの怒りを一時におこし淡路町に馳せ行きて能くも我が女房を追ひ出したナ憎き禿頭めと傍に有り合ふ道具を取りてハ投げ出し狂氣の如くに暴れ廻り互に罵り合ふ處へ巡査が來合せ兩人とも拘引して糺さるゝと全く前の次弟イヤハヤ此親にして此子あり倫理の大變も申すべし（東京日日新聞第二千二百八十八號 明治十二年七月廿三日）

馬鹿な寢惚け

如何に寢惚けたとて是ハまた餘り馬鹿氣た寢惚かた麹町九丁目の落合金太郎（二十一年）ハ女房おしづ（十九年）と内藤新宿三丁目の飯田三吉の三人連で一昨日四ツ谷の桐座へ見物に行ツた歸り同所竹町のある料理屋へ揚ツて酒を呑み三人ともグダン〳〵に成ツテ其處へ寢にて志まふと暫時して金太郎ハ突然起き上ツてサア此奴等ハ活して置ねヱぞ己がトロ〳〵と眠ツた隙を窺ツて密通をしやアがツたなと騒ざ立たので終に其筋へ拘引になりよく糺されるとお志づと三吉ハ全くそんな淫行な事ハ無いと分ツたので金太郎ハ面目なさそうに目を擦りながら夫では夢であツたか知らん（讀賣新聞第千三百七十七號 明治十二年八月十九日）

馬陰

○馬陰　郡馬縣上野國吾妻郡の馬苦勞渡世林友七八同縣の産馬會社より種駒二頭を借來り各村の牝馬ある家の求めに應じて孳尾（かけ）たるうち去る五月廿日相候村の小野李三郎の持馬にかけんとて馬使の田村多吉が腰加減をなせしが堂した調子か間違ひとして肛門に向つて作大の陰莖（もの）を突入れたるにぞ何かは耐るべき牡馬はヒン〳〵の一聲を最後としてパツタり

りと斃れたりそれより馬醫が解剖したるに大腸が二尺ばかり破裂して居たりと云ふ是はチと淫褻に渉る諾の樣なれど馬を持つ人の心得ともなるべしと思へば爰に記す

（東京日日新聞第二千八百五十二號
明治十四年六月十三日）

チンチン斬りのこと

珍々　宮城縣下名取郡中田驛の野澤嘉兵衞と云ふハ下手傳奕が心から好にて出るとは取られ張るとハ負け借金に借金を重ねて金方の爲に鍋釜までも持て往かれ猶跡金を迫らるるの苦し紛れに唯一つ家に殘りし所有品の女房のおその（二十七）を兄分なる同郡熊野堂村の都築孫十郎へ抵當にして二十圓の金を借りたるがおそのハ又我亭主より働も有り工面も宜し人にハ兄貴〳〵と立てらるゝ孫十郎の妾となり何不足なく暮すに附け一心に孫十郎を大事に懸て何事も其云ふ儘に隨ひければ孫十郎も又おそのを不憫に思ひ自然と其方へ恩愛の移つて本妻のお夏ほ秋の草枯れ〴〵に成りたるを常からくて嫉妬深き女房ハ胸に据兼ね本夫に當りおそのを罵り朝から晩まで怒鳴り散すを孫十郎ハ委細搆はず氣の毒がるおそのを慰めて山の神は暴るのが當り前向ふが風雨を吹掛れば此方は濡る分の事だと倍々おそのを寵

愛せしが先月の初め孫十郎ハ村内の寄合にて酒を過し酔たる紛れにおその丶部屋と取違へて女房の閨に入りしが暫くてキヤツと云ふ聲の聞えたるに家内の者ハ驚いて駆附れば主人ハ床の上に倒れて物も云へず女房のお夏ハ剃刀を逆手に髪振亂し左の手に何やら血の滴る物を下げたるハ錦畫で見た一ツ家の鬼婆を生摸にしにて迂と寄らば喰附るべき有様なるに誰も恐れて近附ず其時お夏は大口を明てケラ〳〵と打笑ひ嬉しや敵を取つたるハと抛出す物を見るに是なん主人が那話なればー同ハ増々驚き孫十郎を扶け出して急ぎ醫者を呼び藥を服せ布よ膏藥よと其騒動ハ一方ならず親類の人ニハ此事を聞き一應の嫉ハさる事ながら此ハ又た前代未聞の珍事なり斯る珍事を其儘には濟されずとてお夏を嚴しく取押へ置き醫師の珍斷書を添て其筋へ訴へ出んとせしが其中女房の里方より人も入りて昨今ハ未だ悶着なりと云ふ卑語に嫉嫉をチン〳〵と云ふ嫉妬を以て珍を截る慘なる哉

（東京日日新聞第三千三百六十四　明治十六年三月二日）

大睪丸

睪丸の鑑定、一昨日の事とか牛込區神樂町二丁目の志賀豊吉小池定吉鶴岡藤吉の三人が牛込門外の堀へ釣に出かけ筏の上に坐して釣を垂れおりしに豊吉が何やら大きなる物か懸りしと慌てる機みに足を辷らし水中へ陥入りしが定吉藤吉とも泳きを知らねば救ふ事を得ず聲をあげて人を呼びしにて巡査が走せ來り豊吉を引揚けしが時後れしを以て蘇生せざりしに付警吏が出張して檢視すると豊吉の睾丸が腫れあがりし如く非常に膨れおるにそ口もなき睾丸が斯く水を呑む謂れなし然れバ定吉藤吉の兩人が渠の睾丸を打つか又ハ搾めあげ殺して之を水中に投しやも計り難しとの嫌疑より竟に豊吉が女房お花を呼出し溺死の趣を云聞けるとお花ハ殊に驚きし爲めにや嘆きもせず只呆れておりしが睾丸の詮議になると何やら急に思ひ出せしが如く聲を放て泣悲しみながら夫豊吉の睾丸ハ近所の湯屋でを評判高く斯樣な亭主を持たお花さんは幸福者だと毎度女湯で羨やまれますほどの大睾丸でありますと云立たので兩人の嫌疑も晴れ其死骸をお花へ引破されしとさ（郵便報知新聞第三千九十一號 明治十六年六月二十七日）

女房の損料、三十錢也

女房の損料　宮城縣下名取郡長袋村高山某ハ（三十六）可なりの身代にて居宅も廣きゆゑ市川某（二十七）といへる夫婦者に一室を貸切りにして置きしが此某なる者は漸く日雇稼を

はて其日を送る位の貧窮人なれども妻のおつねといふは一寸容貌の醜からぬ女なりしが高山某一本年五月其妻を喪ひ後妻を鑿穿すれども兎角心に適ぶ女のなくして未だ獨寐の床に長き夜をかこつ身なりしが客月廿八日夜の事とか高山某は某を我が居間に招き酒肴を出して厚く之に馳走ふをし稍や醉の廻りし頃に對ひいひけるやう其方も日頃知らるゝ通り今年廿五日女房に死なれし以來之と思ふ女もなければ未だに女房も迎へざれば獨り淋しき閨の中に膝を抱て眠るのみ就ては近頃言兼ぬる儀ふれども追て女房を迎へるまで其方が妻おつね殿を一夜三十錢つつの損料にて拜借致す事はなるまじきや勿論毎夜ならでも隔日にて苦しからねば何卒此儀を承引せられたしと思ひ掛なき主人が相談に某も暫時は當惑せしが考へみると一夜を三十錢ならば隨分よき損料なり且つ其物の減りもせじと早速に承知し然らば若し女房おつねが懷胎したる時は如何處分なし下さるやと念を推すに某は其儀は聊か心配かけまじとて直ちに其席に於て左の約定書を取結びたりとは近頃珍らしき話なり其約定書は左の通りと

約定書

拙者儀今般歎願の上忠妻を尋る間おつね殿を隔晩に拜借仕候事實正明白也就ては右損料として一夜に付金三十錢づつ可呈尤もおつね殿懷胎被成候時は男女に拘らず其産子は拙者引受け養育可仕候依て爲後日約定如件

八月廿八日

高山　某

市川　某殿

（報知新聞第三千百五十二號明治十六年九月六日）

編輯餘談

○此の頁の餘白を借りて一寸一言致します。何しろ移轉早々のことゝて、見物と雜務に追はれ、どうしても茲一二ケ月は氣が落ちつきません。だから思ふ樣な献立を盛れなかつたことは如何にも殘念です。併し、內容の軟い點では、今迄吾々の出した凡ゆるものに負けない積りです。「蛋十夜物語」に、「宰相夫人と道化役者」（匂へる園の一節）に、共に飜譯ではあるが、本誌の呼び物であらう。ファンニ・ヒルなぞの比でない。

○次號は十一月三十日か、遲れても十二月二日迄には必ず製本出來いたします

○諸兄の御手許へ着くのは十二月十日頃となるでせう。內容も今回以上のものになる事は云ふ迄もありません。

○次に小生の珍聞史の件ですが、これは下卷として一册の本にする豫定でしたが、上中とも禁止、罰金などの事件を起した爲め、文藝資料研究會で怯ぢ氣がつき、出版を見合したので、本誌に連載することにした次第です。自分としても一册の本に纏めたいのです

が手許に上巻中巻の講讀者諸氏の名簿がないので、自力で出版しても通知先きが解りません。今春以來資料研究會や變態資料關係を絶つてゐるので名簿が手に入りません。故に既に同會に向つて下巻の會費拂込濟みの方は、直接同會（東京牛込西五軒町三四）宛に、該書に對する返金方を御交渉下さい。下卷に該當する分は本號より向ふ六個月間に亘り連載し、明治三十年頃迄の出來事を以つて一亘打ち切り、其後の分は、明年六月出版される拙著「明治大正猥褻史」に全部入れます。同書は明治元年より大正十五年十二月二十五日迄に起つた猥褻珍聞を集めたもので、珍聞史を遙かにしのぐものですから何卒ぞ其節は御講讀下さいますやう御願して置きます。

では諸兄よ、益々御健在であられんことを祈ります。尚ほ小生等上海へ出發の際、長崎在住の岩崎一德氏を始め、梁岡利吉氏。菊枝與藏氏その他の會員諸氏より多大の歡迎と御骨折りを受けたことに對して、玆に感謝の意を捧げて置きます。梁岡氏や岩崎氏の珍貴なコレクションに就いては何れ稿を改めて諸氏へ御紹介いたします。

更に雑誌の改題に就いてですが、改題と云つた所で、何も題名なんて決つたものがある譯ではありません。本號はナンバー一で、次號はナンバ二と云つた調子です。この意味に就いては番外通信を御一讀下さい。（梅原北明）

■今回、計らずも、エロテツク・ビビリオンソサイテイ極東支部の代表者としての私の手に、東洋唯一の權威たる文藝市場社の一切の事業と編輯とを託された私は今、餘りに大きな驚きと感激に充ち〳〵て居ります。而かも幸なことには、皆樣のうち『愛に關する珍書』第一卷講讀者諸氏とは既にお馴染深い間柄にあります。併し未知の方々たりとも御安心下さい。吾々のメンバーは全世界の專門的研究家及び好事家の集團で、既に多種類の珍書を出版し、又現に出版を續けつゝあります。不肖吾々の信用と價値に就いては、今や全世界の學者が認め、その多くはメンバー中に加へられんことを欲して居ります。併し營利を絕對に輕蔑する吾々の協會は、常にメンバーの現狀維持を保ちつゝあります。。扨て、今後の本誌は、飽く迄、ミスター・エツチ・ウメハラを始め、ミスター・ケイ・サカ井・ミスター・ケイ・サトウ三氏の指導監督のもとに、益々內容の充實を計り、言論自由國の名に恥ぢないものを此地より生み出すことを、誓つて御約束いたします。

先づは初體面の御挨拶を兼て、只管、將來の御期待を願ふ次第であります。
文藝市場社の事業の一切を引受けた理由に就いては、既に梅原北明氏よりの番外通信に依て御承知のことと存じますから、茲に重複を避ける次第でありますが、只だ一言附記いたしたいことは、吾々が一旦引受けたからには、何處までも勇敢に責任を果すと云ふ一點であります。吾が歴史あるビビリオン・ソサイテイの名に誓つて言明いたします。

一九二七年・十月廿五日

總編輯責任者　サー・フレデリック・ジョンース

一九二七年十月三十日印刷出版　十一月號（第三卷第十號）

編輯人（英國人）　上海佛租界外東部閘北體育路　サー・フレデリック・ジョンース

發行印刷人（中華民國人）　上海佛租界飛霞路（Avenue Joffre）　張門慶

發行所　ソサイテイ・ド・カーマシヤストラ

發送依託先　上海郵政局第六八〇號信箱　共營公司

『カーマシヤストラ』No.2 第3巻第12号 第4巻第1号

Kama-Shastra

此事實を見よ！（戰爭を呪ふの巻）

『凌辱された婦人の屍體』（これは男裝してロシアの決死大隊に參加した女兵士の、無慘なる最期）

『發掘隊』（左方の布の上に見えるのが獨乙兵の骨、右の包みになつたのは佛蘭西の勇士？のそれ……）

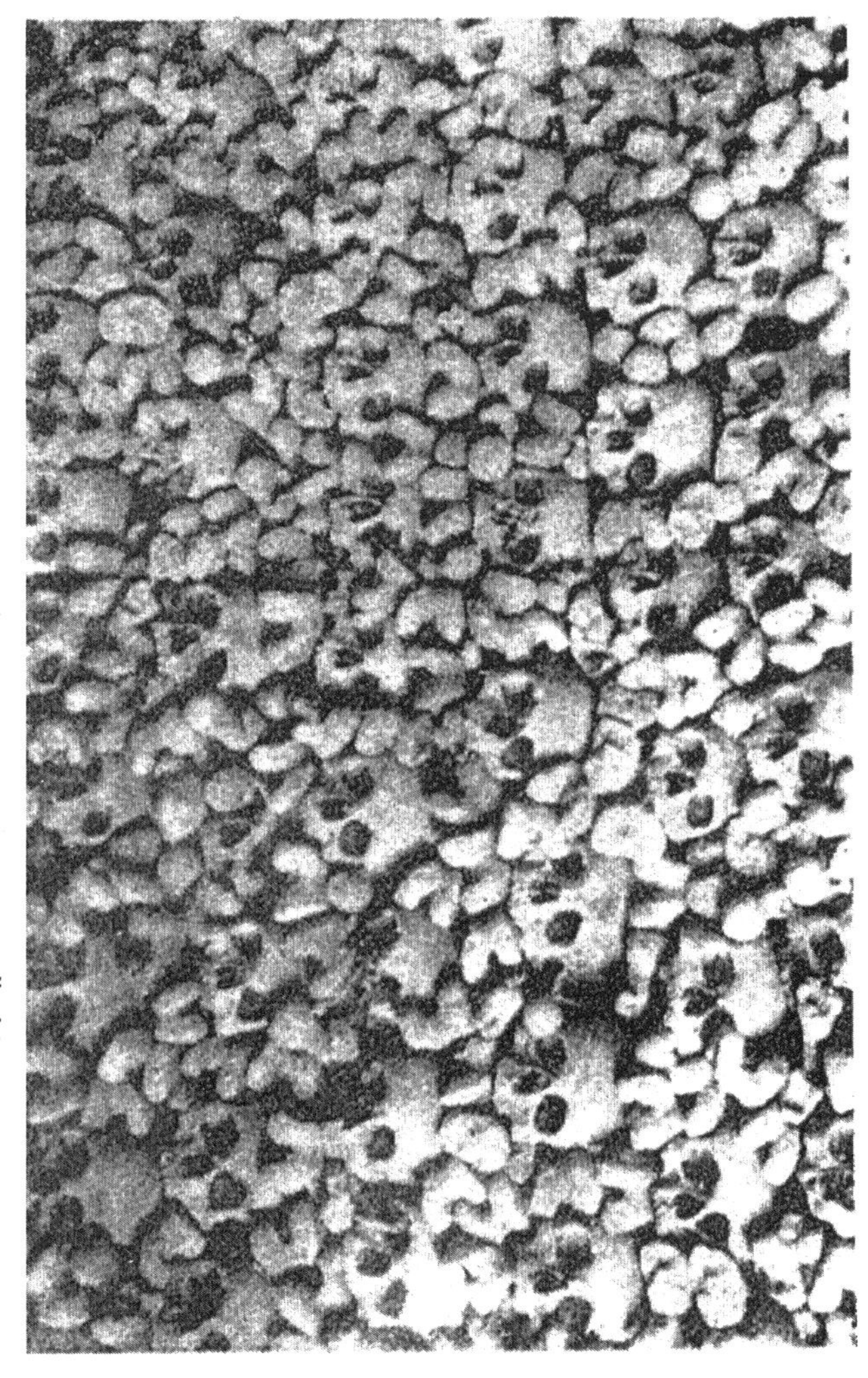

『戰塲の鬼と化した四萬人の髑髏』（マルヴアル所見）

『射落されて滅茶々々になつた飛行機と焼死んだ英吉利の飛行家』（一九一八年四月 Foucaucourt 所見）

『英吉利の艦隊に砲撃されたペテルボール寺院の神殿（オステンド所在）』前面に見えるのは
（總て小兒の屍體）

(1)「有色人種も亦斯うしてキリスト文明の洗禮を受けた……」英吉利の印度兵だらう。殺される方でなく殺す方だ。手きびしい皮肉。

『リダ河（ベレツナ）のほとりへ集められた軍馬の屍髏の山……』

『一露兵の屍骸……』（一九一六年十一月の戦で斃れた此男は、翌年の五月になつて漸く埋葬されたと云ふ……』

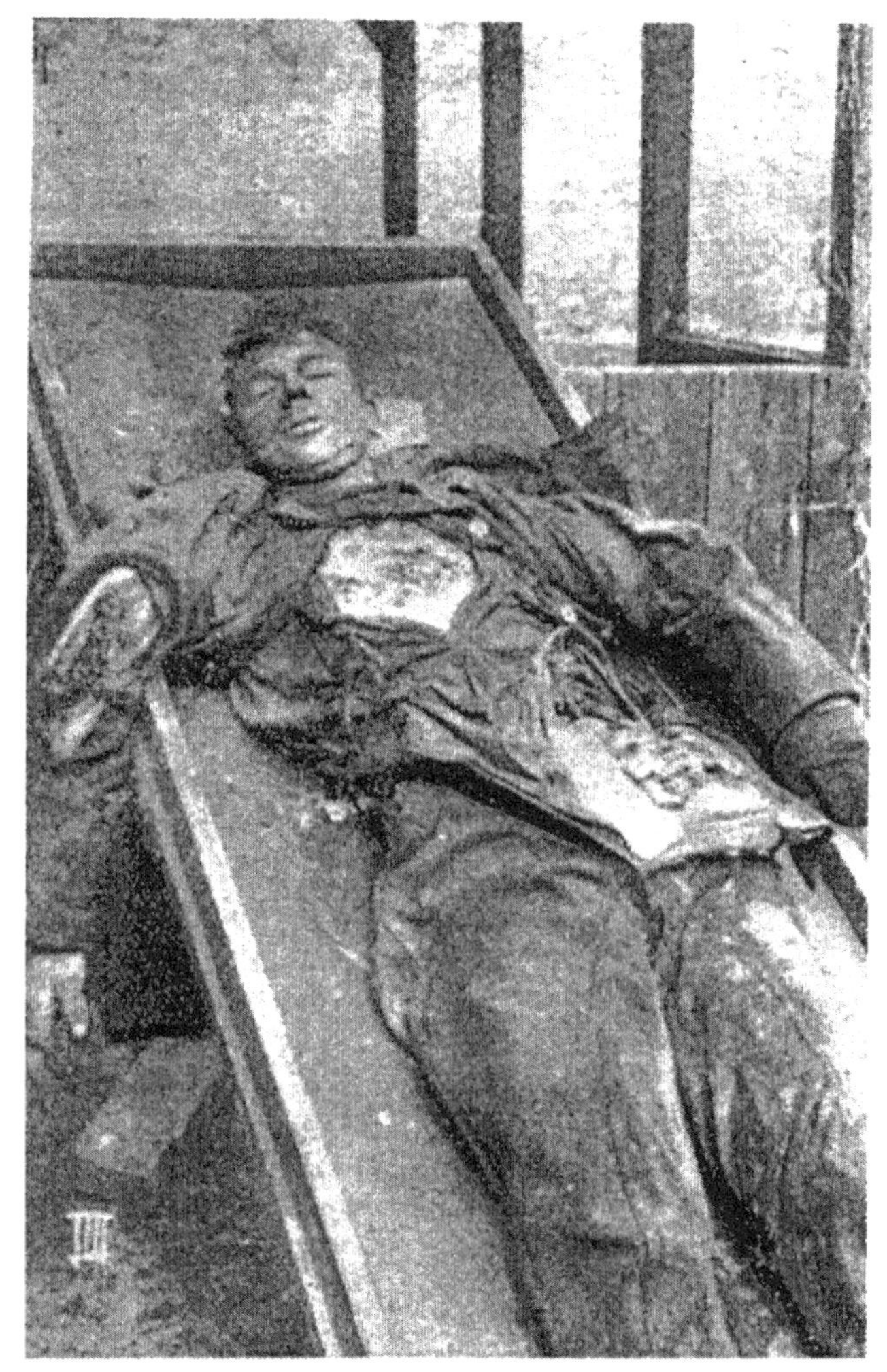

百四十四頁『若人の血を踊らせる戰爭……嘗てライブチヒでパストールシユウマンと云ふ男が一場の演説を試みて、數多の同僚の喝采を博した。
彼は言ふ——戰爭は絶對に必要なものだ。何故となれば戰爭は一つの教化手段を示顯する。青年の頽れんとする國家意義を喚び起こし、強健なる精神を振作する……』

二百三十四頁『國家は此男を殺せとは命じなかつた。併し(1)殺人業者は勝手に此男を締め殺して嬲物にした。』(軍隊それは獨りで勝手に殺人の許可證を發行するものだ……)(註)(1)軍隊を指す

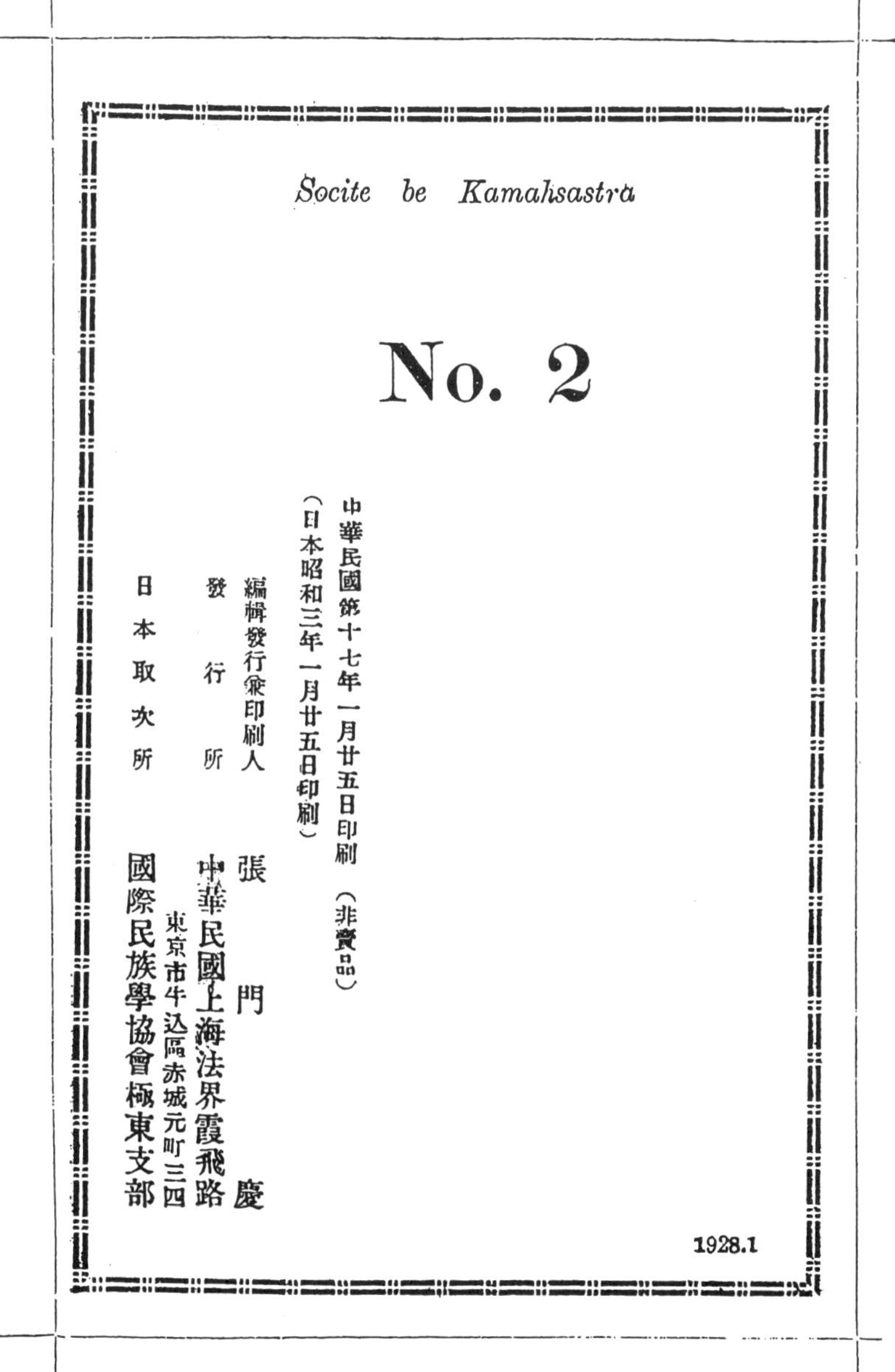

Socite be Kamahsastra

No. 2

中華民國第十七年一月廿五日印刷（非賣品）
（日本昭和三年一月廿五日印刷）

編輯發行兼印刷人　張　門　慶

發　行　所　中華民國上海法界霞飛路

日本取次所　國際民族學協會極東支部
東京市牛込區赤城元町三四

1928.1

日本版總編輯責任監督者　梅原北明

日本版編輯兼發行代表者　サー・フレデリツク・ジヨンス

本誌の原稿執筆者は、吾が國際民族學協會極東委員會に於て決定せる委員自身の責任執筆並に委員會に於て依頼乃至採用したる原稿を以つて此れに充つるもの也

一九二八年一月

國際民族學協會極東委員會

カーマシヤストラ目次

――◁第三卷第十二號第四卷第一號▷――

○本號が諸君の手に入るまでに二度の災難に逢つてゐます。一度は出來上りのホヤホヤな領事館のスパイにかぎつけられて押收され、二度目は印刷所のストライキです。時日と經費の損害については不幸にして何等の同情もありませんでした。もつとも此の變事を諸氏に知らせることを遠慮したからであるかも知れません。並大抵の苦勞ぢやありません。しかし當方の策戰も段々巧妙になりました。大いにやります。

○紙屋の都合で、思ふやうな紙が手に入らなかつたことは本誌のため誠に殘念至極、次からモツトいゝものを用ひさせます。

○今年は本號より怠けずに原稿に馬力をかけました。飜譯もドンドンやります。

○特輯號として二月末より毎月馬力をかける「變態猥褻往來」は是非期待して下さい。興味本位の文献としては最上のものだらうと思ひます。

○それからこれは小生の譯したものではないが、フツクスの風俗史は少し難解で堅すぎる感があると思ひます。段々解り易くそして面白い部分だけ拔いて譯して貰ふことにいたしませう。

○次號は二月十日頃にお届け出來ます。（上海にて）

『通俗如意君傳』解題

則天武后と薛敖曹との情事を描いた『如意君傳』一名『閫娛情傳』は、苟くも支那小説を讀む人は知らぬ者なき程有名な小説であるが、其和譯が明和年間に、『通俗如意君傳』として、江戸で出版された。併し此本と漢書と比較すると、前者の筋書は同一であるが、恐ろしく敷衍されて居り、坊間流布の唐本と別物の觀がある。

今、唐本と異同を比較しつゝ、逐次解題して見やうと思ふ。尙ほ、玆に用ひた唐本は、大本一冊、木版活字で、左の如き序文跋がある。

如意君傳序

如意君傳者何。則天武后中冓之言也。雖則言之醜也。亦足以監乎。昔者四皓翼太子漢祚以安。實賴留忠矣。則天武后强暴無紀。荒淫日盛。雖乃至廢太子而自立。衆莫之能正焉。而中宗之後也。

實敖曹氏之候之力如留侯。可謂社稷力也。此雖以淫行得進。亦非社稷忠耶。當此之時留侯處之。四皓翼之。且焉能乎。易日納約自牖。敖曹氏用之。由是觀之。雖則言之醜也。亦足監乎。甲戌秋華陽散人題

跋に曰く

史之有小說。猶經有淫解乎。經所蘊。注解散之。迺如漢武飛燕内外傳。閨閣密欵猶視之于今。而足以發史之所蘊。則果猶經有注解耳。頃得則天后如意君傳。其叙事委悉。錯言奇叙。此諸二傳快活相倍。因刊于家以與好事之人云。

庚辰春　　相陽柳伯生

而して本文には、初めて『閫娛情傳』、終りに『閫娛情奇』とあり、紙數二十三枚、一行二十字一頁（半枚）十行である。

扨、本題の本は如何と云ふに、尾崎久彌氏編『艶本目錄』には、半紙本十一冊。明和頃。右自辞矛齊蒙陸校刻。悃娛情傳の假名交り譯也。とあるが、實際は五冊である。解題本は、手入れし表紙を付け替へしため、惜しい事には、表紙が不明、尚、序文があつたのかないのか、これも付

いてないので不明で、此本は何によつて譯したか、わからぬのは、返すがへすも殘念なことである。

所謂「讀ワ」であつて、本文は十行に罫を引いてある。『通俗如意君傳』自辞矛齊蒙陸校著と各卷首にあり、且、各枚の柱には『武辞傳』とある。

「卷之一」は『通俗如意君傳捴目錄』二枚、本文十七枚及び挿繪一枚、（此繪は十二枚目に當るものなれど、柱に「又十一」とあり、十一が二つあるわけである。繪は普通の繪で、表半丁は三人の唐女が庭に輪になつて座してる處、裏半丁は宮殿の屋根の圖。）

「卷之二」は本文十三枚及び挿繪一枚（「又七」と柱にあり、表は廊下に美人が筐を捧げて居る圖裏は衝立の後ろに立美人の半身像。）

「卷之三」は本文十三枚、内八枚目の表半丁は挿繪で、女が仙人より壺を授かる圖である。

「卷之四」は本文十一枚、内七枚目の表半丁は挿繪、武后と思はれる婦人の下半身及び其前に臺に乘つた壺及び六角形の柱狀の物等莖の筐あり。臣下らしき男（敖曹）が跪いて居る圖である。

「卷之五」は本文十四枚、内八枚目の裏半丁、挿繪、巨大な太湖石と榻と柳の圖である。十四枚目の終りに、「明和四丁亥正月吉日」「小石川（以下破損し不明）版とあり。

先づ其總目錄を擧げやう。

巻二

武后改元（ブカウカイゲン）　武后薛氏ヲ愛シ給フノアマリニ異名ヲ付ケテスナハチ年號ヲ改メ給フ事ヲノブ

武后爛蕩（ブカウランタウ）　武后ノ房中大ニタハムレテ密語ノ深意ヲ茲ニアグ

武后神髓（ブカウシンズイ）　武后薛氏ト交接數度ナリ又二張ヲタマ〳〵見給ヒテ召シテ交リ給フ亂淫ヲアグ

薛氏席寵（セツシセキテウ）　薛氏モ今ハ寵ニホコリテ武后ヲ自由ニトリマハシテ交ル事ドモヲノブ

巻三

武后秘玩（ブカウヒクワン）　名月ノ宴ヲ催シテサマ〴〵ノ交ヲシ給フ事ドモヲツブサニノブ

武后獲丹（ブカウカクタン）　臣下ヨリ奇妙ノ喜悦ノ薬ヲ献ジタルヲ試ミ交接ニ用ヒ給フ事ヲノブ

二張穿脽（ニテウセンスイ）　昌宗易之ヲ召シテ侍女ノ尻ヲ穿ナ君前ニテ曲交ヲナス事ドモヲアグ

扨て、愈々、本文に移るが假名は全部片假名であるが、こゝには平假名に改む、『武后出身』は荆州都督武士彠の女で幼名媚娘、容貌美麗なるため本文年齢を缺く、唐本に十四歳とあり、文皇の才人となり、後文皇病中、其太子高宗と私通し、後日の證據として、九龍羊脂の玉鈎を與へられ、文皇死後は、感業寺に入つて尼となつて居たが、高宗即位し、寺に行幸の折、私かに見給ひて、又髮を生させ、宮中に召入れて昭儀となした。時に武氏、年三十二歳。王皇后、蕭淑妃と寵を爭ふに至り、遂に泣いて高宗に訴へ、王皇后、蕭淑妃二人を廢し、更に武氏を皇后に立てんことを長孫無忌に高宗が計つたが、彼とかく言葉なきに、近臣褚遂良進み出で、冠を免ぎ叩頭流血して諫言した爲め、武氏及び帝の怒にふれ處罰されたことを述べ、後の史館、此の史を讀んでこゝに至つて詠て曰く。蹇々王臣既匪躬云々の詩で終り、唐本と同樣である。但、通俗の方は、所々に言葉に註釋が付いて居る、例へば高宗の下に、大宗第九ノ皇子御名は知、字は爲善。長孫無忌字は輔機、封ニ齊國公ニ、昭儀、女官等。

『武后稱制』は、二臣處刑後、武氏立て后となり、權を專らになし、高宗兩眼枯眩（あきめくら）になつてよりは、政事を自ら裁決し、遂に王皇后、蕭淑妃の二人を誣陷し、手足を去て酒甕中に投入れて殺し、後苑に埋めた。こゝに註あり、『撫正史、王皇后、蕭淑妃、武后の讒口に依つて、別院に囚れありしが、高宗嘗てひそかに幸して其所に至り給ひしが、王皇后泣て宣給はく、至尊昔を思ひ給はゞ再び日月を見せしめ給へとありけるを、武后きゝ、反つて大いに怒り此二人を如此せしと。』

而して武后の父は周國公と謚し、太原王に封ぜられ、高宗崩御し、太子李哲即位したが、五年にして武后の爲め廢せられ、次で、李旦即位すれど、七年にして廢せられ、遂に武后自ら則天武皇后と號し、唐を改め周と號し、自ら大聖金輪皇帝と稱し、狄仁傑の諫により再び李旦を立て、太子となしたが、中は淫亂、外暴惡を恣まゝにしたことを述べ、後の史館、詩を作つて嘲る詞に曰ふ。牝雞聲中（唐本、裡に作る）紫宸空云々の詩で終り唐本と同一である。

『薛氏名譽』は、薛敖曹の素性を述べたもので唐本と同一である。隨米、薛舉といふ者の子、仁景が愛妾素姫、家僮と姦通し孕んだ爲めに追出されたが、仁景一家は亡びしも、女は命逃れ玉峯を生む。玉峯、曹氏を娶て二子を設け。兄を薛伯英、弟を薛敖曹といふ。敖曹年十八、長七尺、白皙の美少年で、力強く、博く經史に通ずるのみならず、書畫琴奕諸藝に達し、一斗の酒をのんで、醉ふことがなかつた。天生、彼の肉具特に壯大で參潤稜跳、其腦に坑窩四五ばかりあつて、怒るときは坑中の肉隱起て蝸牛の甲の如く、頂より根に至つて筋勁して蚯蚓の状の如く、首尾に二十餘筋あり、紅瑩光彩洞徹昏からず、一斗の粟を掛けても平氣で、酒興に乘じて他人に示し驚かしたが、餘り偉大な爲めに、合ふ女なく、未だ人道を知らず、常に生を悲み嘆くの感に日月を送つて居た。

『二張殊寵』は、張昌宗及び其從弟張易之の寵愛せらるゝに至る經路を述べたもので、之れ亦唐本と同一である。太后已に六十餘歳に及び給へども淫心盛んなるまゝ、千金公主の御計ひで、馮小寶といふ、長安の藥賣の無頼漢を召し、彼が肉具頗る堅く太く、且淫藥を煉て用ひ、通宵勞れぬのを喜び、遂に僧となし、懷義と改名せしめ愛せられたが、彼寵に乘じ驕り、御醫沈懷璆と寵を爭ひ、白馬寺（註釋あり、唐本にはなし）を燒たので殺され、沈氏も次いで腎虚した。此時太后七十歳、尚ほ齒髮衰へず、豊肌艶態、宛も少年の如く、情慾益々盛んで、宿娼淫婦といへども及ばなかつた。

偶々、張昌宗といふ美少年の肉具大なるを奏する者があり、召入つて、次で、其從兄弟の張易之といふ美少年をも召入れ、大いに寵愛せられ、昌宗は六郎、易之を五郎と稱した、二人は更々に宿直したが、出て外に美女と歡淫したので、太后の御伽中往々精氣衰へて、御心にかなはない時があつた。

『晉郷闕策』は、亦唐本と同一で、延載二年の春太后融春園に幸し、春景色をみるにつけ、昌宗易之との歡樂のはかなきを歎じ、感傷の氣分になり、沈吟欲歔の聲を出し給ふ時、宦官牛晉郷、其意を推察し、姓は薛、名は敖曹とて、年三十ばかりの美丈夫、彼が肉具太さ一握にあまり、頭は蝸牛の如く、莖（さほ）は皮を剝たる兎の如く、筋は蚯蚓の狀に似て二十條ばかりもあり、其精力は一斗の栗を龜稜（かりくび）に掛れど敢て垂るゝことなしと奏したので、太后、食指大いに動き、內帑の黃金二鎰、白璧一双、文錦四端を出し、晉郷を使として、自から詔書を書いて、敖曹を召し給ふた。

其文に曰。

朕萬機之暇。久曠二幽懷一。思下得二賢士一以接中譚讌上。聞郷負二不凡標一資二偉異一。急欲二一見一。慰二朕饑渴之懷一。其諸委曲去使能悉。毋專二潔一身有二孤（ソムク）二朕意一。

『薛敖延登』も唐本と同一で、晉郷、敖曹に至り詔を語れど、敖曹は肉具の故を以て出身するは丈夫の恥とて拒んだが、晉郷に足下の一物をよく容るべきは、聖上の他にあるべからず。一生、入道を知らずに終るのかと説かれ、遂に承知して入殿し、膩髓場を給はつて浴した。

『薛氏奇遇』も唐本と殆んど同一で、敖曹は道士の服を着し、太后と晉鄉と三人で、西涼州の葡萄酒を酌む中太后、淫心動じて、左右の侍女に命じ、華清宮の東暖閣に軟衾細褥を設け、晉鄉を退かしめ、二人で入り、金鳳門を閉ぢ給へども、諸嬪御等は物のひまより其始末を窺ひ見ること詳であつた。

斯くて、太后自ら薔薇水で牝中を洗つて、敖曹に、汝、童身なりとのことであるが本當ではあるまいと宣給へば、答ひ、臣、不幸にして遺體（註に肉具を云ふ）すぐれて大太なため、空しく鰥(やもめ)を守ること數年、今、詔をうけ給はりて、爲方なく參りたり云々と申上げたので、朕、親から見るべしとて、中裙を脱去らしめ見給へ、自らの衣をも脫捨て給ふに、顚肉隆起豊膩(つびのひたいのしゝむつくりとたかくゆたかにあぶらぎり)て毳毛(にこげ)もなかつた。敖曹恐れて敢へて進まぬので、太后、彼の手を取つて、牝口を撫摩らせ給へば、俄然として、足腦の窩中の肉塊滿ちて、横筋張り起堅勁屈起したから、太后は寶を得たるが如く歡び給ひ、昔、王夷甫に白玉麈柄あり。（註、晉の王夷甫、名は衍、終日弦を彈じて每に玉柄の麈尾を捉れり。白玉手と色を同くす。）今卿が肉具も、瑩潤(ひかり)の類せぬばかりにて、他は麈柄に同じとて、彼が肉具を麈柄と名付け重寶し給ふた。

かくして、流石の太后も敖曹の麈柄の甚だ堅くして粗大なるにより、初めは苦痛を感じ裩帶を率て、肉具の中ほどを纒いて、交はり給へ、歡びのあまり、太后は敖曹の肩を撫で、卿、甚だ朕が意に當(かな)へり。因つて、卿に如意君と號を加へ、明年、卿が爲めに改元して、如意元年と改めやう。今よりは臣と稱し、陛下と呼ぶやうな水臭い君臣の禮はやめて、夫婦とならうと大はまりであつた。以上で、卷之一終り、次に卷之二に移る。

『武后改元』も唐本と同一である。斯くて、笑語し給ふの間に、麈柄すこし綏(なへ)たので、太后は、卿、交會に倦きたるやと問へば、敖曹は、未だ足ることを知らず。焉ぞ倦くことのあらんやとて、再び取りかゝり、太后、既に復、情を漏らし、如意君、卿は人のために毒なる者かな。今、朕、快活死なり。先づ〳〵休むべし。情は極むべからずとの言葉をもきかず臣の情興已に發す。望らくば、陛下優容せよと。乃ち、密に、裩帶兩匝(まはり)を解て、遂に又二寸ばかり入れ、生れて始めて人道を知つた。即ち『敖曹、此年まで牝中の漏精(きをやろこと)をなさゞるゆへ、一動(ゆすり)に吐精(きをやろこと)注ぐか如し。淫水湧起り、身を以つて貼し完つて、牝屋(こつぼ)を射ること七十餘滴』。歡終り外へ出れば、日は既に晡に及んだ。

太后悦び、片晉卿に厚く賞し、明日、如意元年と改め、倉廩を開き、肆赦を行つた。時に、右僕射揚執柔之れを諫めて官を剝がれ、衆人敢て議するものがなかつた。『武后爛湯』も唐本と同一で、長壽元年、皇嗣の妃劉氏竇氏の二人、年號の如意の意味を知つて、かけ言した爲めに自盡せしめられた。併し敖曹の取なしで難を免るゝ人も多かつた。太后は常に敖曹に謂ふには、春秋時代の晉公が驪姫を愛するより深く卿を愛すと云つたが、敖曹は愼れ謹んで、謙遜に身を持した。

斯くて、延載元年（前に延載二年春一月の記事あり。こゝに同元年とあるは可笑しけれど二本共此矛盾あり）二月に内苑に挹香亭を構へ、二人宴樂し、今日は麈柄の根を限りに沒入して見やうといふので、亭中、鎖金帳を陳設し、赤裸となり試驗した。先づ裩帶縛たる際まで容り、遂で三寸進み、又二寸。後殘る所二寸ばかりになり、太后佳境に入り、更に盡す可からずと止めるのをきかず、覂々然として進み入れ、遂に蔕限（ねもと）まで容沒し、兩肌の間一髮を容れずといふ狀態になつた。太后歡喜のあまり神思昏迷したので、敖曹大いに驚き、麈柄を拔出し扶起せば、しばらくして甦り敖曹の股を枕し睦言を交はし乍ら、十四歳より、これまで關係した人々の肉具の大小善惡を批評し、結局は卿に優る者なし。今より後は必ず蒸限(ねもと)を盡すこととせず、過半にて宜しからんと宣給ふた。太后、此時、歳已に彌高けれど、容色衰へず、歯髪改めず。流石の敖曹も筋力頗る倦ほどに見えた。

『武后神髓』も唐本同一で、太后、敖曹と日々樂しみ給ふこと勝て計う可からず。昌宗、易之は殆んど顧られず、其原因を知らなかつた。一日、太后華林園に幸し宴をし給ふ時、昌宗易之の侍すを見給へ、其美さに覺えず召されたが、それは一時的であつたので、二人は不思議に思つたが、後敖曹の寵せらるを知つて、惟、泣歎するのみであつた。

『薛氏帝寵』は唐本に比べると大分敷衍してあり、殊に後苑の交會は然り。

元統元年初夏の頃。霖雨漸く霽れたので、二人は後苑に遊んだ處、幽禽が新緑中に相よび、太后淫情起り、敖曹に宣給ふには、幽禽だも相偶に樂しむあり。人として鳥にだも如ざるべけんや。卿と禽鳥の樂に効はんとて、兩とも下衣を去り、太后は裀褥の上に俯し伏し、兩の股を立て、敖曹は御後より舌頭を牝口にさし入れて、玉舌(さね)を舐り巡らし、後、麈柄を挿入し、御髻(もとどり)を咬へて共に匍匐歩むこと數十步。大いに歡を盡し、侍女左右に供奉して、帛を以つて拭へまへらせた。

唐本には此光景を『各去下衣。后乃伏於裀褥之上。兩股竪起。令曹以塵柄從牝口後挿入牝中。取樂。手摸兩乳。似犢之欲乳者。汩汩數聲。其歡樂之情有難以形容者。』と述べてあるに過ぎぬ。

一日、太后、今朝、六郎、五郎を見たが中々美しいと宣給ひければ、敖曹は、君子は人の歡を奪はずと。二張を召入れて替る〴〵奉仕したい。決して悋氣はしませんと申上げたので、太后も笑はれた。

是歲六月暑さ甚だしく、清風閣に幸ありて、赤裸になつてまどろみ給ふ。折から、敖曹ふと來り、之を眺め、淫心發し、夢中を冒し奉れば、やがて目を覺まし給へ、君名を待たずして深く禁闈に入たり。卿の罪何にあたるぞとあれば、敖曹云ふには、死を冒して紫闈を割たり（唐本には入鴻門とあり）唯、君の爲めに忠を思ふのみと答ひ、更めて歡を盡した。

以上、卷之二終り、卷之三に移る。

『武后秘玩』も唐本と筋は大體同じく、唯、交會の狀景が本文には詳細に涉つてゐるに過ぎない。

斯くて、八月十五日に、上陽の集僊殿に幸ありて、宴を開かせ給ふたが、秋氣に感じ、欲獻の聲ありしかば、御意を慰めんとて、上官侍女共は觴を捧げて、詩を作り壽したてまつた。

敖曹も亦、杯を擧げて太后に奉り、詩を作つた、太后も機嫌直り、酒も闌になり、君臣の禮もなくなつた。敖曹、太后を我懷に入れまへらせ、酒に御乳を潰し、其酒を太后と共に飲みかはし共に大安閣に至り、短襦一つになり、桂林の小天香餅を口うつし、果ては小嬪に命じて銀燭を數多かゝげさせ、敖曹を仰に伏さしめ、左右の足を踏のはさせ、陰囊を肌に挾ませ、其上に跨馬（うまのり）に行ひ給ふた事。終つて太后は、猶も倦き給はず、緗帛（うすぎぬ）を以て塵柄を包み、精道（すいぐち）を御舌にて吸（ねぶり）給ひながら、侍女に、汝等は之れを入れることは出來まい。唯、咬嘔丈けであらうと笑ひ給ひしばらく息み給へて、又もや抱付き給ひ、體疲れ興盡きて、共に息み給ふた。

『武后獲丹』は唐本に全然無し。

或日、太后に仙丹を捧る者があつた。是は興化府の仙遊縣の樵業の婦、山林に入りて、一人の叟に逢ひ、彼玉壺を與へ、此練丹を雞卵の象になし、陰戸に納めて交會せば、無量の快美をなし、而も不老不死の神丹なりと告げて、行方不明になつた。婦は家に歸りて試みた處、効能顯かで、何人をも選まず家へ引入れたので、門前市をなした。是を縣の官吏聞き出して、金帛米穀を授けて牛丹を乞ひ、太后に奉つたので、甚だ喜び給ひ、木犀館に幸あり。仙丹を試みんとて、敖曹を中央に裸にし、嬪御十餘人と共に赤裸になり、各々一卵宛、牝内に挿み給ふた處しばらくして淫心忽りに發し、容貌は桃の如く上氣し、神心蕩け、侍女等は互ひに抱き付き合ひ、悶え狂ひ、中には敖曹にすがり付く者さへあるに、太后も亦堪り兼ね、敖曹に抱き付き給ふに、抱き退けて、臣斯る奇妙の丹能を見る。婦女の佳興を盡すものなり。何ぞ肉具の久しく怒りて萎ざる丹のなきをうらむ。今日は其戰に忽ちをくれんことを畏ると云ふて、殿をさして逃ばんとしたので、太后は大わらはで追廻し、漸く木犀の枝にさゝゑたる處にて捕へ、大いに情快を漏らし、沈桂水にて嗽給へば、忽ち淫氣が去つた。諸嬪にも沈桂水を賜りて一同淫氣をしづめた。斯くて、黄昏に及び、兩人閨に入る。敖曹云ふ、玉壺の仙丹を臣が塵柄に塗りて試みたいとて、塗つて一時餘りを過ぐるも、聊も驗がない。そこで異交を企つればよからうとて、太后俯になり、敖曹が膝の上に跨り給ひ、侍女を召して、三尺の明覽鏡を的に立させ、鏡中にうつる佳景に尚ほ興を増し歡み給ふた。（此鏡は迷樓記を思ひ出させる）。

『二張穿脂』も唐本には無きもので、武后が妓童の後庭を冒すのを見たいが宮中に招くに嬾いと云はれたので、散曹は二張を召して侍女の豚殺（しり）を犯さしめて見給ふべし。臣も未だかつて見たことなし。望らくば、陛下と共に見たく思ひ奉るとの事で、早速二張を召して、衆人環視の中で、昌宗は十九歳の侍女、易之は三十二歳の中女を相手に、前者は小女を俯に長く匍匐せ、後者は女を仰になして、後庭花の秘戯を天覧に供し事終つて後、許しを得て正交するといふ珍場面であるが、あまり猛烈ゆゑ詳細は缺く。

以上、卷之三終り卷之四に移る。

『武后奇交』も唐本に缺く處で、太后既にノルマルな交接にあき、色々の奇交を工夫して樂しむ場面で、其一例を擧れば『斯くて太后、云ク朕工夫の術數品あり。令に任すべしやと。散曹旨を奉る。然らばと再祖になりて横に臥し。朕、卿が頭を胯を以つて抱くべし。牝溝（われめ）を舌頭を以つて嘗むべし。卿、又朕が頭を足にて抱くべし。朕、塵柄の精道を嗽らん』と云ふ。我邦で云ふ『相嘗め』所謂六十九を横に行つた方法や、太后、二女の肩に左右の手を掛け頭を抱き、兩の足を二女に高く抱きかゝげさせ、玉體を宙に提げさせ、散曹に令し、二十歩を隔て奔走して、牝を目かけて穿たしめる等の奇交を樂しんだ。

『弄等薹會』も亦唐本になき記事で、翌日老華園の別殿にて酒宴をなし給ふ時、敖曹は一つの藥壺と一つの玉の筐を取出し、一個の等薹（はりがた）を奉つた。之れは不思議の作用のある器なので、初め侍女二人に試みしめ給ふたが、其結び方は、四紐を採りて牝上より臀へ二紐引きしめ、又二紐は牝上より肋腰に纏ひて臍上に結び留め、さながら壯士（をのこ）の肉具の怒るが如くであつた。かくして事が終つたので、太后自ら等薹を取り紐で結び付けて、侍女を御し給ふを、側より敖曹は見て堪へ難くなり、太后の御背より麈柄を挿入して三人共に歡を盡した。

處で此はりがたたるや實に巧妙なもので、支那の淫書にも我邦のそれにも未だ矚目したことがない（尤も寡聞の爲めか知れないが）張形文献上の珍材料と思ふので全文を揭げる。

小筐より取り出す物は樂清縣の雁宕に住める靈獸の一角を以つて作りなせる等薹（はりがた）なり。誠に玉工（たますり）のつとめて研（すり）たるものなり。軸に竅あり。是に瓶の練丹（くすり）を容れて、四紐を佩て犯す時は、實の肉具にまさりて、濕柔に、淫氣をして熾ならしめ、牝屋（こつぼ）に丹水（くすり）を射ること壯士（をのこ）の吐精（きをやる）にひとしとぞ。』

張形に就ては、酒井氏の「張形考」に悉しく述べてある筈であるが、西洋には液を射出する装置は早くから發明せられて居たが、支那、日本には殆んど其文献が見當らないのである。閑話休題次に移る。

『衆屄列會』之れも亦唐本に見當らない珍場面である。

太后は夏日の暑熱を避けんが爲めに、例の如く赤裡にて、嫪毐に宣給ふは、肉具に大小長短太細堅柔あれば、牝にも廣狹種々あるべし。侍女等を裡になして、數品の牝をあらはに見給はんとあり、衆嬪に命じて、裡になり、牝溝を披き競ふべしとの命令で、各々はだかになつて、殿中片側に並居て、足を開き少し仰になり、牝溝を向けて座したが、數品であつた。鬼鬚あり、纖牝あり。毳牝。禿牝あり。烏隙。彤腯。皎屄。長玉舌。埋舌あり。臍際に笑るあり。吠端に斷るあり。陰中より玉肉食出るあり。牝吻備維々々肉あり。竅魚臭あり長溝、丸竅。螺屄。角腯の種品、凡て十三歳より五十歳までの衆嬪の牝、一として同じ屄がなかつた。然れども太后に續たる廣牝は一人もなかつたに、末座に股を披たる十六歳の小嬪は、未、毳もなき屄竅。臍根に虚溝を薄赤く披け、舌埋みて、桃核を挾むが如く、物吻紫色に膨上り、溝は廣深く割け、下は離肤に連り、屄中尤も紅くして玉肉三を備ふ。虚溝の頭より牝啄まで凡そ九寸に超え共香、羊の兒に似て、濁精常に堪ふ。實に佳牝と云ふべきである。太后の牝にもをさ〳〵劣らないので、嫪毐は太后に告げて、之れは稀有な少女で、塵柄も容るだらうから兔し給へと云つたが兔さず。太后自ら例の等蓋で試み、少年にして廣牝なればとて、名を潤嫭と呼び給ふた。

それより、太后は敖曹に抱かれ、幼嬰に返りたるつもりなりとて、小便をし、其まゝ又敖曹と交り、彼が未だ終らぬ中に疲れたので、潤嫭と交りて吐精すべしと命じた、併し未だ少年なればとて帛を以つて塵柄の根を卷て、八寸を出し、交はしめた處、何の苦もなく、更に二寸を益して容つた。

以上卷之四終り卷之五に移る。

『辥氏風曉』も唐本と比較すると、芍藥苑の遊びの前半は同一であるが、唐本の『有兩白鹿舞鶴。感之。亦皆孳尾。左右無不掩口者。后行之自若。復一夕后與敖曹歡會。』云々の間を、本文は敷衍して、潤嫭をも登場せしめて居る。

斯くて後苑の芍藥盛んに開いたので、太后は宴を開き、卿は健かで膂力あるから朕を抱きて花園を歩巡りながら交はんとて、太后を抱き芍藥欄を歩き巡つた處、養放しの白鹿舞鶴も是に感じつるみ、左右の侍女等口に涎を流した。而して所々に椅子を設け、其上に御臀を据えては交りながらし、遂に太后を彼椅子上に俯に逍はしまいらせ、後より樂しんだ。又、或時の話しに、敖曹が、臣もし仰に伏し、上より婦の抽拽せば、通夜漏ることなし。二人三人でも相手になると云つたので太后も驚き、朕一人では敵はぬといふので、潤嫭と二人で代る代る曉まで樂しみ漸く塵柄も漏精した。又、或時、太后は、壯士の交接を得ざる者は握手して以て撫摩り、自ら漏精すといふが、見たことがない。卿、弄手して見せよとの命であつたが、敖曹は、弄手するのは牝と屁とに惡まれたる者の業で、臣、今、君命乏しからず。何ぞ弄手を施さんやと拒り、矢庭に、潤嫭を抱寄せて、之れと交つたので、太后大いに驚き、潤嫭のすむのを待つて、敖曹の膝上に胯り快美々々、中華も九夷も悉く朕が牝中に聚るぞや。此輿の外に何以最上の樂とせん。牝吻に齒あらば塵柄を嚙切るべし。舌あらば塵柄を纏ひ吸切るべし。牝屋に喉あらば、呑で再び抽けじ。一身の氣血牝より漏盡すぞやと歡聲を發した。

或日、交會に倦き、敖曹に宣給ふには、卿にいくら榮爵を與へやうとするも辭して受けぬが親族兄弟を富貴ならしめやうと、敖曹之れを辭し、自分は賤人よりかゝる奇遇を得、富貴の望はありません。何卒ぞ、皇太子の盧陵王を召し返し、大位を讓り給ふ様にと申上げれば、太后は默然として難む色が見えたので、敖曹は、陛下もし御きゝなければ、臣陽事を割去て天下の人に謝せんと小匕首を取つて、塵柄を裁らんとし、太后がとゞめたけれど、首半分ばかり傷けたので、太后は癡兒何をするかと泣き罵つた。かゝることが多かつたので、後盧陵王が復位したとき、敖曹を憎んで殺さんとする者もあつたが、之れを聞くに及んで中外却つて敖曹を德とした。

『薛氏別宴』は唐本と同一である。

元統二年、太后已に春秋七十有六に及び、不豫にして餘命いくばくもなきを悟り、敖曹の身の安全を氣遣ひ、姪の魏王武承思の許に遣はすことにし、敖曹と別れの宴をなし、色々の賜物あり、別情に堪へず、天に向つて再拜し、誓を設けて、塵柄の頭に一圓を灸し、太后も牝顱上に一圓を炷き、記念とした。

『二張再遇』も唐本と殆んど同一で、唯、柏香と敖曹との濡場及び太后と二張との場面が、本文には敷衍して委しい丈けである。

太后と寢を共にし、翌朝敖曹は武承思が第に送られた。武氏の第に、溫柏香と云ふ美人があり、元、長安の名娼であつた。敖曹の容姿を慕ひ、或夜、密かに忍んで行き、之れと交はらんとしたが、敖曹の肉具大きすぎ、僅かに稜首(かりくび)ばかり容つた丈けであつた。

又、一方、太后は火瘡漸く癒て、後苑に幸し昔の二張を見給ひ、再び二人を召され、先づ昌宗と交はらせられたが、牝は廣くなつて居たので充分情を暢べることが出來なかつた。次の日、又易之を召して交はり給ふに、昨日の昌宗の肉具の小にこり、俯に匍匐給ひ、膝を突き御臀を立て背より容させ給ひ、漸く情を暢べ給ひ、二子に金帛を與へ給ふた。

『薛氏脫壁』は唐本と同一である。

月日の經つにつれ、太后は敖曹の事が思ひ出され、澗嫥（唐本には名なく、只侍女とあり）を使ひにして、密かに敖曹に手紙を授け給ひ、暫らく宮中に入つてくれとの傳言で、箋尾に詩一首あつた。敖曹は之れを讀んで涙を下し返事を差上げ、再び入れば必らず出れないと悟り、或夜密かに武氏の第を脫出し、行方不明となつた。太后は大いに悲歎し給ふので、昌宗易之は再び寵を得んものと、南海の奇藥を求め、專ら御機嫌を取り、大いに寵せられたが、後皇太子の爲め肢體屠殺された。皇太子卽位し、敖曹を德として訪ねたが、獲られなかつた。

天寶中に成都市に於て見たものがあつたが、羽衣黃冠童顏で二十許りの人の如くであつた。其後は竟に終る所を知らない。

以上で、卷之五も終つたが、抑々、此本と坊間流布の漢文の『如意君傳』とかくの如く不同のあるのは如何なる理由であらうか。例の『花の幸』一名『弓削道鏡傳』は此漢文の『如意君傳』の忠實なる飜案であつて、和釋である『通俗如意君傳』が原本と異なつてゐるのは不思議である。さりとて、漢文にない部分は日本人の手によつて附加されたにしては、あまりに支那臭く、且つ構想も日本人離れがしてゐる。さすれば『如意君傳』には二種あつて、一は比較に用ひたもの、他は更らに附加されたもの、即ち此『通俗如意君傳』の原本となつたものとがあつたのではあるまいか。それとも又此校著者が『如意君傳』を面白く潤色して長くするために、他の支那小說中より原書に無い場面を借り來つて、取入れたとも想像し得る。乍併寡聞の筆者には他の支那小說中にかゝる場面を讀んだことがないので、若しそうとすれば博學の先輩の御指教を仰ぎたい。

尤もこれ等の假定は、此本に序文がない爲めより來る疑問で、先づ第一に知りたきは序文の有無及び其內容である。

日本小咄集成（その一）

▽

堂前にふりたる松一本あり。老僧少人にたはぶれ、あの松は男松であらふか、妻松であらふかしれぬよ。歌よみの子息出、めにて有らん。月のさはりになるほどに。土民の子いふ。いや〳〵、をまつにすふだ。あれ程松ふぐりのある物を。

▽

若き僧一夜の宿をかりけるに、十二三さいなる少人、同座敷にいでてけるが、何事やありけん。亥の時ばかりに、かく尻に火がついたはと、しきりによばへる。あらかなしやといそきふためき火をもち來りて見て、大事もないぞ。お坊主様のせいかいつてけしてたまはつたは。

▽

おどけもの、縁をゆきちがふとて、小性の口をすふ。脇よりみたぞみたぞといふ時、あまり肝をつぶし旅じやにゆるせゆるせと申ける。(以上「醒睡笑」)

▽

山の手筋に、さる屋敷へ出入する、もとゆひうりのわかしゆあり。又そのやしきに、すわともいはゞかんなめたがるやつこあり。なにとぞ、この若衆をと、ねらへどもおりがなければちからなし。或時かのわかしゆきたりければ、いろいろにちそうして、けふは雨もふりそうなほどにあきないもなるまじ。われらへやへきたり給へと、うちつれてやがてにはへおしふせてやりければわかしゆ此みちがきらいなれば、きやつに一本させんとてすまたをとらせけり。やつこつきにつきにまかせてやるとて、すなのなかへ三寸ほど作蔵をつきこみければ、すなまらになる。やつこわかしゆにむかひ、さてさてそのほうはずいぶんたしなみがわるい。かならずかならずいまよりして、こんにやくをくすりぐひしやれといふた。

▽

それ、天はやうにして、すみやかなり。地はゐんにして、どうぜず。月日のめぐるも、ゐんやうわがふの車のわ、やくなるはなし、そのついでに、みな人のぬれぬれといひて、れんぼのやみをてらさせ給ふ、日の本のそのかみ、さまとざでさまと、あまのうきはしのうへにして、せきれいのをのひこひこするを見給ひみとのまくばいありしより、我影ひらけはじまりて、あまのさかほこつんとさしこみ、からからからとけがし給ふ、そのさまより出るしづくが、くにとなる。されば、しづくよりおこるあきつしま、ゐんとやうとの二つの間にやわらきあれ、わがふの儀は、また、地水火風空の五つにかたまり、目もあり口も有、あるひは女、男となると、大ざつしよにかきけるは、おれはしらぬが、ぬれといふを是から、かんがへて見るに、うきはしのもとにて、さかほこのしづくより、おこりてなん。女のかたらひありまして、思ひのふちにしづみ、なみだのあめにそでをしぼる、君にあふせのなみまくらなんどいへば、ぬれといふであらふと、いはれたれば、そばなる男、いやそうでない。はじめての事には、つばきでぬらすによつて、ぬれといふと、いはれ。

▽

町／＼はづれ／＼まで、しうしの御ぎんみつよければ、おんなをとこともに、皆寺請狀を大屋取おくほどに、さる所にかわりたるばゞあり。むすめをふたりもちしに、此ごろ、ふたりながら、ろう人して、宿にいる。されば大屋から寺請狀取つてをこせはと、いわれた。けふあたゝかなるとて、ふたりのむすめともなひて、御寺へゆきしが、此ばゞおかしきくせにて、いつもあとにいふ事をさきにいふ。お寺さまのじうじに御めにかゝり、申出しけるは、今日は日よりもよく、のどかなるまゝに、むすめどもふたりながらつれて、まいりました。御たいぎながらしてくだされませい。わたくしのも、ついでに、してくだされませい。としよりましたさかいに、またまいりますと、たいぎじやほどに、たのみます。寺請をと、いへはお寺、さて〳〵おかしきものゝいひやうじや。あとにいふ事をさきにいふ、さかいで、よのだんなに、かべごしなどで、きかせられぬいひぶんじやと、おもひながらもつとも、むすめたちは、してやらふが、おのしも一度になるまい。おれもたつたいま、ちやの間で、二本かいて、くたびれた。そとばをと、いわれた。

南こん屋町二丁目に、さるろうにん、いなかものを、つかひけるに、なにやらのかぎにかゝりたるやうに、なまながき男なれば、名を作蔵と、つけゝり。つねに、かた事をいへば、さらにわけきこへがたきほどなりしに、あるとき、夜に入て、火事の出來けるに、かの作蔵に、みよといへば、やねに上りみれば、火のて、まちかく見ゆる。だんな、どこじやと、とへば、さてさてくさかつたが、どうりぢや、へがちかいといふ。だんな、また、かた事ぬかすといふて、わきのやねに上りたるもの、さてさて火のこもおびたゞし、わだぐらのほりにみゆるといふをきゝ、屋根よりかけおりて、おかみさま、やうじんなさりませい火事はまたぐらじやと申しますが、へのこがふらり／＼とまいりますと、くらわせた。

さる人、吉原へけんぶつにまいられけるに、さもじんじやうに出たつたるわかきおとこ来る、あげや町の木戸ぎわにてみれば、お出成されましたといふ。さりとては、がつてんゆかず。どなたにて御座るといへば、おまへたなにおりまする、さしものや半兵衛がでしでござりますといふ。さてさて六藏か、これは／＼けさもあふたに、見はすれた。おのしはさりとては、いしやうもちかな。此けとろめんのはをりは、いつこしらへたぞといへばかりものでござります、此つむぎのしろこそでは、是もかり物。このとうさんのきる物は。かりもの。此さんとめのはかまは。かり物。さてさてけこうなるわきざしかな。是もかりもの。なかなかと申。此いんろうきんちやくは。なをかり物なり。したのおびばかりはおのしのか。いや、だんなのをかりました。かの人あきれはてさてもかりたり／＼。へのこばかりじやかと、いへば、是もかり物なりといふ。これはどうしてかりものじやと、とへば、みな人が、馬のものじやと申すさかいで、これもわたくしのとはいはるまい。（以上「鹿の巻筆」）

去所に夫婦背戸口にて爭ふをきけば、女房はあをのきにしたがよいといふ。夫はうつぶせにしたがよいといふ。女房、いやとようつぶせにすれば思ふやうにはいりもせず、どうでもあをのきにしたがよい。わらはが申やうにしたまへとて、扨物をもいひやみぬ。隣の人壁ごしに右の問答を聞付、さては萱一義をおこなふと見へた。物をいひやみし程に、今は最中なるべしと思ひ、屛覆に階上さして上り、態々覗見れば、瓜の香の物を夫婦して漬て居た。

▽

去者の子少幼なるが外より歸て母にいふやう、下の町の辻に錢が落してあつた。ひろをと思ふ内につい人がひろふたといふ。母親聞てなんぼう程有しぞと、とへば、とゝのまら程にあつたといふ。母手を打ておしい事じや。すくなくとも百四五十はあらうに。（以上「噺物語」）

▽

同朋町に樂齋と云ふ者、めいほうをおぼへて目藥を合せける。いかなる目にもよしとてらくさいめぐすりとさたし、江戸中のひやうばん賣る事かぎりなし。となりへまためいしやこして、樂齋とかんばんをいだしたり。とりちがひて是もうれたり。らくさい腹をたて似せことをいたすよし大屋名主へ事はりければ、兩方をよびてせんぎせらるゝ。いまの樂齋申けるは、わたくしはにせらくさい、あの者は眞らくさいで御座るといふた。

▽

相者かたりけるは、昨日しろかね町を通りけるに、あたらしきかんばんを見たり。此ころにゆかふとおもふか、そなたもいきやるまいかと云ふ。いかなることぞととへば、吉原よりましな事が御座るは。京から女が三人くだりたそうな。江戸の名とはいかふかわつた。一人はたきも、一人はとよう、一人はもつじんと云。ねだんがやすい。ひとつつび一匁づゝとかいてあると云。是はよきなぐさみなりとつれたちて行きて見れば、京くだり瀧本やう筆人、一對壹匁づつとかなにてかきたり。（以上「枝珊瑚珠」）

▽

針立の目くら坊主、旦那がたへ療治に行、よも山の物語にとりまぎれ、しばらく隙を入れる所へ、客來りはじめて知人に成。客より申は、何と座頭どのはどなたの御弟子にて候や、いち方かぜう方か完て琴三味線も平家小うたも上手にておはし候はん。以後は拙者所へも申入、一曲承り候はん。などと念頃に申されければ、此目くらもあまりゐんぎん成あひさつにいだみ入、たうわくせしめいや私はいちかたにても、ぜうがたにても御座なく、はりかたにてと申た。

▽

關東よりのぼりたる長老寺へすはりて、始て十夜の講義をとかれける。洛中の男女くんじうせり。長老高座にて申さるゝは、昨晩談じたる次を今ばんも講釋いたす事也。それに付うけ給はれば愚僧がだんぎは長がくてたいくつなと、女中方の申さるゝと評判あり。理句義のよくつまるやうにと存じて申也。さりながら今晩のも何れも次第にいたそうが、女中だち何と思しめすぞ。みぢかひがよいか長いかよいかとくりかへしとはれける。參けいの男女返事なくくつくつとわらひけるを、長老腹立せられ、高聲にそれはかたがたの氣のやりやうがわるいといふた。（以上「輕口露がはなし」）

▽

牛込八幡の庭にて、つねに淨瑠璃をかたりてゐるものあり。おほくの人たちよりなみゐてきくに、四十餘りの女十六七なる娘をつれて、神前にまいり、かへるさにこれもよりて聞けば、だいしよくわんの淨瑠璃、海士龍宮にゆきて、めんかうふはいの玉をぬすみにぐるに、しゆごのあくりうおつかけきたる。ちの下をかききりたまをおしこみたりといふに、彼母をや、なみだをながす。むすめ、かゝさまはあまりあわれなところでないに、なぜなかしやるといへは、扨々左程名高きあまでも智慧がなふてしなかつたか。いとしさになみだがでるといふ。娘それはなぜにとゝへば、ちの下をかききらずとも、そればかりのたまはおしこみどころがあらふにといへば、むすめ海士もすがな人ぢやさかい、それほどな分べつのない事はござるまい。されどもそだではめんやうくさいの玉となりませうといふた。

▽

朋遾知五六人あつまり、四方山のものがたりしける中に、蝿の佐吉といふものあり。ひとりのいひ出しけるは、人の異名もおほき中に、はいといふ異名ほどかわつたはあるまい。また左吉といふもよほど耳にたつ名ぢや。されどもさけづきなれは左吉といふこゝろでもあらふ。はいはがてんがいかぬといふ。左吉御ぶしん御もつともぢや。心ある異名じやほどに、なぐさみにはんじて見さつしやれといふ。獨のいひけるは、此男どうもならぬ人たらし。いつももみ手して空おがみなれば、手をするといふ心で蠅であらふといふ、ひとりは左吉じたいすりきりなれば、ふけはとぶといふ心ではあらふといふ、またひとりは此男あなたのおつしやるとをりくらあいがよさに、いかなるものにもやきてをくわせる。さればうづめばつち、燒ば灰といふこゝろであらふといふ。左吉どれどれもちかひましたまづ蠅といふ虫らとよりこゝろなきものなれば、むさくけがらわしき身にていかなる天子高位もわきまへずうへにのぼる、われまたいやしき身としてよき女さへみると、いかなる女郎お姫樣もみわけず、腹の上へのぼりたがるとて、蠅ぢやといふた。

▽

ひだちのくにみとのもの、かみがた見物に同行五人にてのぼりける道すがら、名所舊跡うちながめ、大津の宿をこえてひのくちといふざいしよをとをりけるに、むぎばたけに高札あり。大津ひのくちむぎばたけむざと人に草かからせ申間敷候とあり。かのものども此邊にもすこしやすみふだをみつけ、是はいかさましさいありげなり。たれよめ、かれよめといへども、みなむひつなり。されども同行のうちに坊主のありしか、あとにさがりたるをまねぎて、これはいかなるふだぞといへば、ものしりがほに立寄てたからかによむ。大つびのくちむきはたけむざと人にくさがらせ申間敷候とよめば、同行のもの共これはもつともおきてじやといふた。

▽

岩井町といふ所にすみけるもの、淺草の觀音をふかくしんく〳〵せしに、あるときふしぎのれいむをかふむりたり。馬になりたり人になるじゆふのくすりのほうを忍たり。まことにきたいのみやうやく、さかい町へいでゝかねまふけせんとよろこび、さてかのやくみ調合してにかいにあがりはだかになりてそろそろぬりて見れば、かほむまになりまた手足むまになりたり。女房來りて是をみつけ、さてさていかなる御事にいきながらちくしやうになり給ふとて、とりつきてなげく。彼馬云けるは、すこしもくるしからず。人になる事またじゆふなりとて、わがてにくすりをぬりて、くびも手ももとのごとく人になりたり。女房扨もきたいなる事かな。最早くすりをぬらずとおかしやれ。こしよりしたはむまがよいぞといふた。(以上「正直咄大鑑」)

▽

さる御大名御他界にて、御國中鳴物法度のふれあり。御城中にても町々に番をいたし候時分、荷つけ馬とをりければ、ばらばらとおり立て馬子を捕へ、是程鳴物御法度のきびしい御ふれの有にそむくは大ちやくものぢやとて、さん〴〵にちやうちやくする。馬子めいわくに思ひ、まつぴら御免被成候へ。御ふれ御座候故鈴をもはづし、神妙に追まするといへども承引せず。しばれく〵れといからるゝゆへ、馬子扨何たる科にて左様に御立腹なされ候やといへば、番の衆まだ如在なことをいふやつじや。あれ程子供が太鼓うて豆くはせう〳〵といふを、あらがひをるかといはれた。（露新輕口ばなし）

十四五になるむすめ、正月のあそびにはねつきゐたり。わかい衆見て、そのはごいたをかしやとて、むりにとりちからまかせにつけば、はねはやねへあがる。とりもせでかのわかい衆はにげてゆく。さすが女の子なれば、あれ見さしやんせかゝさま、はねをわかい衆がやねへあげさしやつた。はゝおやきゝそれいわん事かの。つねに若しうにつかしやんなとゆふにつかしてとまつた。となりのばさまにおろしてもらや。（輕口あられ酒）

▽

むかし御公家様御寄合の折ふし仰出さるゝには、定家の謌に、狩衣の袖を冠のこぢにうちかけてとうたふ。かりぎぬのときは烏帽子なり。大きなる誤りとあれば、はるか御次に御出入の醫者ぼん居られしが、罷出で申上るやうは、それはさやうなこともあるまい事ではござりませぬ。去枕繪に、御公家樣の丸裸で、冠めしてござるのが慥にあるとやら申ますると、いひすてゝにげたけな。(輕口福蔵主)

▽

鳶の者の女房ごねたを、ちつともはやくおつかたづけるがゑいと、寺へ人をたのんでやり、早桶を買。あんまり急いて佛をさかさまに入、是でもよしとはやぬのをかぶせ、あら繩でからげ、寺へもち込みかくと云入れば、まづから剃をあてんと、弟子坊主桶の蓋を明て見、大きにおどろき和尚へ何やらつぶやく軆。和尚も出て來て件の桶を覗て見、けげんの貌。施主に向て、あれは佛が違ひました。此方では弔れませぬ。『ソレハなぜでござります。』さればさ。何だかあれは胸に毛がまつ黑にはへて居て、肩がいかつてふとつて、どうでも首のないすまふとりの死骸さうでござる。

△

左官、近所の數寄屋へ行靜に上ぬりをして居る時、あわたゞしく同長屋の者が來て、おやかた〳〵大事がある。貴樣のかみさまの前へ、へびが這入てどうしても出ぬ。早くかへらつしやいといへど、左官一ゑんさはがず、やつぱり靜に壁をぬつて居る。追々人が來れども、いさゝかおどろくけしきなし、しばらく過て又一人來て、もふかへらつしやるにおよばぬ、今出て行きましたといふをきゝ左官かべをぬりながら、其はずあのくさゝでは。

▽

明て十五のお姫樣、來年は早々去るおれきれきへ御こし入とのことなるに、大切のおまへえ何やらむおでき物が出來たとて、御くらがり、御側の下中もひそひそ氣にして、御外科しゆに御見せ遊ばせと申せどいかな〳〵御合點のないにこまり、お乳母どのあまり氣遣ひ、そんならわたくしが繪にかきませうから、おでき物の遊ばした所を印し付ておみせ遊ばせと、おうばどのはじめこの繪ぶ器用に書ちらし、毛を書たるをおひめさま御らうじ、わたしにはまだそんな物はないと仰らるれは、おうばどのまじめになり、それでもこれをかゝねば上下がしれませぬ。（以上「譚嚢」）

▽

天狗吉原へ行兎角どの見世を覗て見ても、格子へ鼻がつかへてろくに見へず。是非なく格子の間へ鼻を入れると禿が見付「モシ鹿相な。爰は小用所では有んせん。（高笑）

▽

若旦郡書初をなされます。嘉辰令月もふるしと、唐詩選でだんだん書初め、酒泉の太守と書かる所く、出入の福都『御慶申上ます。シテ何のお催し。そばの見物『若旦郡の書初ふく市『シテ何と云字。そばで『誰もかも好た字。福市『ウ、例しくと云字か〳〵。（春遊機嫌袋）

▽

あるおやしきにて、浅草の市のみやげに、はりこの松だけを、奥女中へ小間物方より進上す。ヲヤヲヤいつも大黒様か、大ばんをかつてくれながら、此よふな物を銘々にくれたは、いかな事でもあんまりなといへば、ハテおまへ様方には、ずいぶんおよろこびの土産、ことしはしだしの松だけ、役者の彼物にせう字にいたしたのゆへこのうちに女がたでも立やくでも、敵役の御ひいきのお方のまで、色々の形違ひはござりませぬといふ噺が殿様へしれ、いか様めづらしい事併四十七本もあるを、どれがたれのじやといふせうこはあるか、御意でござります。其證據は仲間どもへ竹の皮を賣まする與兵衛と申す者、彼は役者の一物をこと〴〵くぞんじておる故。是を御召御聞被遊ませ然らば皮與をよべとて御前に召れ、此四十七本のはりこの、松だけ其方目利を以て、是はどの役者といふ事をきつと申べしとの仰。かしこまりましたとおめる色なく立よつて見れば所も名にしおふ淺草市のこみ合に馬じや〳〵といふ程の紫色、雁高しゝ頭扨白黑は其人のうまれ立にもよるぞかし。あるひはちよつぺい筋太く、しころのなきはすぼけ物、皆それ〴〵に名を印し一つも違ひはそうらわずと指出せば、ありあふ人々殿にも感心あそばして、ハテ扨能も覺しきものかな。かくせうせきを申子細は。ハイわたくしはもと堺町の芝居に二十年程ありました。ムゝ役者といふ面でもなし、木戸番でもいたしておつたか。イヽヱ。そんなら幕引か。イヽヱ。髮ゆひか。イヽヱ。そして何をしておつた。がくやにおりました。ムムがくやにしては何の役を勤めた。ハイ居風呂を焚ておりました。

▽

コレお前は物しりだがアノ手紙に以上と書が、なんのいわれでござります。ハテ以上とは上を以てするといふ事よ。人の位にも上の人を以上といふはサ。ムムかみをもつてするといふ事か。

ハヽアそれで穴賢がわかつた。

▽

是も今はむかし、隅田川邊へ摘草に行しに、下女のまたぐらへ蛇が這込大らんを入る。江戸へ醫者を呼にやらうと云所へ、武藏やの若い者來かゝり、氣遣ひなされますな蛇は今出て行ますと云うち、へびはよわつたかたちでぬけて出る。人々こいつはきみやう。どうして今出るといふ事をしつて居るといへば、若者そこはちつと見所がござりますと云。そんなら夫を傳授してくれろと、旦那が金貳分出して賴めば、大事なことだがおしへて上げませう。女中のまいへはいつた蛇の直に出ると申たは、あの女中の顏をごろうじろ、顏がどうした。ほうが赤い。

▽

おまへの御子息様、は扨々御はつめいでござります。まことにすへたのもしいとほめければ。イヤ左樣おつしやつても、仵めもはつさいで口がすぎますといふ。さては思ひつきのしやれをいふところへ、なる程人には色々ござる。此間大の男が、こしにもくぎのふといひもで、文箱とごせんかごを荷つて行を、何を何だと云たら、五歲じやと云ましたといへば一人男がいふには、夫はめづらしくない。むかし利久時分には、茶の湯をした人に三歳さへあると云。こちらに居た男がまじめな顔で、何さ夫より私共の大屋さんのむすこは、二歳でまいばん五人組を頼みます。

▽

今は昔吉原へ通ふ道に、女郎蕉駕舁があるといふ噂にちがはず、雪のちらちらふるにこま下駄で裾を引ずりながら、かごをやりんせう〳〵といふ。大門迄いくらでやる。今宵は雪がふりんすから二朱でおざんす。三百にまけねへ。ばからしうおす。そんなら四百よマアおのりなんしよとのせて棒組さんよふおすか。アイお出でなんし。ヨウスヲウスヲウスといつてそろり〳〵とやるコレこゝはどこだ。アイ駒形でおす。どうもゆきでなりんせん。酒手をおくんなんし。どうでもせうはやくやつてくんな。アイだんなもやほではありんせん。ヨウスヲウス〳〵といつてもねつからやらず。客もきをもんで、エヽじれつてへ、はやくやらねへかといへば、ばからしい。おめへさんばかりおやりなんし。（以上「無事志有意」）

▽

この間熊の皮のしき皮をもとめましたと見せれば、これはよい皮でござる。ドレ〳〵となでゝ

みてサテよい心持でござる。（鯛の味噌津）

▽

御天氣早尾といふ藥賣あり。或日うつゝに青赤の二鬼冥府の迎ひなりとて來り速に引立飛がごとく連行けり。漸々にして城廓のごときものありて諸々の惡鬼鐵の棒などをたづさへ正面は定めて閻魔なるべし。早尾階下にちゞまりて命を聽くに閻王虎のほゆるがごとき聲にて假醫三寸の舌を以て多くの人を誑す。その罪舌獄に行ふべしといふ。早尾怯血して歎願していはく小人世に在とき人の爲に齒の患ひを除き又入齒して老人も若き婦人に思はるゝなど皆人の爲なり。願くは大王明鑑なし給へと地に伏して願ひければ大王莞爾と笑ひ汝よく入齒をいたすや朕近頃はなしの流行ゆゑか更に齒なしとなつたり。汝速に朕が總入齒の細工せよのことゝゆゑ早尾恐る〳〵王に近より口中をうかゞひけるに黑髭モヂヤ〳〵として口中見えぬゆゑに指先にてかき廻しければグチヤ〳〵として其臭氣いはんかたなし大王曰く汝よく齒磨の香あり。朕が口中をなめよとの御意否めば愛目に逢はんと思ひべロリ〳〵と舐ければ忽ちその妻目を覺し馬鹿〳〵しい何をなさります。

（春色三題咄）

北濱邊の藥問屋にうつくしき下女を置ければ、總領息子ははや目見への時より心をかけ其夜九ツ時、寢どころへ這ふて、下女が寢やへ行かれ、これとくどきいらるゝ處へ、後より人おとしければハツトおどろき片角へよつてゐらるれば、弟息子是も同じ思ひ入にて戀慕の闇のくらがりをふんどしもせずに來たりて、兄の傍に居るのも知らず、いろいろくどきかゝる處へ、又誰やら人音しければ、是もかた角へのいていゐる處へ、後から來るは此家の親父六十の莚破りとたとへに違はぬ其丈夫さ、息子が來ているのも知らず越中ふんどし一ツになつて這ふて來を内儀はなんでもがてんの行ぬ事と手燭かくして後からついてくれば、親父は下女が寢屋へはいらるゝ。おのれにくさもにくし、悔さしてやらんと手しよく付出し、是旦那殿といふ聲に、びつくりみな／＼顏をあぐれば、親父をはじめ兄弟の息子何れも顏あからめてさしうつむけば、下女はぬからぬ顏で、こなた浮名川／＼。

▽

爰に浪花の若女形あらしひな助と聞へしは生れついての美少年、彼唐土の誰やらが、馬に乘少人艶と作られし李節推の幼立、又我朝にむかし男といわれ給ひし在原の業平の若衆盛、常盤の山乃岩つゝじと眞雅僧都の涎をながされし、曼陀羅丸のいにしへもかくやと思ふ斗の美童なれば、誰も心をかけ。帶のなさけになだいはなき中に、是も浪花で名も高き契りやの胴右門ときこへしは、兄弟ぶんの約束して、其睦じさ、韓壽孟籠のちぎりとは是ならんめりと、人皆うらやまぬはなかりける。然にひな助胴右門が胤をくはいたいせしといふ事誰がいふとなく、親小六がみゝえいりければ、小六ひそかにひなすけをよびよせ、世間の噂にこそなたは胴右門さまのたねを懷胎せしと聞しが、夫はマア誠かいの〳〵。そもと若衆の懷胎とは誠とは思はねど一鳳さんも其如にいふてるがわしがみゝへいつたよつて尋ねるといはれければ成程其やうな事がして又後月から屁がとまつた。

▽

去所の旦那家内みな〳〵開帳參りして、自分は半季居の下女と只二人留主していられけるが、此月は四月の末つかた、心なしにやとはれなと諺にさへいゝ傳へたる日の永さ。餘りの退屈に作の下女を相手にして酒事をはじめ、盃に壹ツ貳ツのむとはや洒きげんにて、是はかつらの川水になとゝはな歌にてたのしんでいられしが、ふと下女にこしさすらせ手を取てなふりかゝれば、コリヤ旦那殿、めつそうな、御家さまがかへらしやつたらヲ、こわやと、田舎ものしやしけんどんにいふて逃んとするを、やがて引こかし、前おしまくつて入かくれば、コハ無體な事をと、いゝながらねてかゝれば、おやじすまして根本迄ぐつとつきこめば、ハレめつそうなとゆい／＼下女はこしつこうて、身もんだへ、モウどうもならぬと旦那の背へといついて、すゝり上／＼いくつといふ事なく氣をやるしるのおびたゞしさ。ほちやり／＼じはぼ／＼の心地よさに、旦那もつゞけて二ばん三ばんときをやりてのかるれば、何が下女は在處から此かたこんなにあはぬゆへ、つゞけて七八ばんきをやつて腰をふらつかして、夕めしこしらへして、其日は済けり。扨あけてから彼下女旦那を尻目でにらむいやらしさ。是はひよんな事してと旦那も後で後悔にて、殆ど下女が居る傍へよらぬ様にしていられけるが、有夜下女の方から夜ばいにきて、旦那をゆすりおこしコレ先日のやうにいやといふものを無理にしておいて、夫から後はけがにもやさしい事もおつしやらぬはあんまりきこへませぬ。是非今夜はさらねばならぬと、女の方から引ひろげてかゝれば旦那は逃あるき、まて／＼そちにいふ事有。なる程此間する時迄は、見はなそうとおもふ心はなかつたけれどいかにしても我が前がわるいにほひがするゆへに、夫で其後は炁せぬと誠らしう此場をいゝぬけんと口から出次第にいへば、すればわたしが前がわるいにほひがするからして、夫で其やうに逃あるきなされますのかへ、夫なら此香ひさへのいたら又かはいがつて（以下三字不明）といやうしうしなだれかゝれば何か（以下数字不明）いたらばなんの心はかわらふといへば下女はよろこび（以下数字不明）の日から一日二三度づゝたらいに湯を汲んで前を洗つては香をかぎ、一月あまりも洗ふて又香をかい（以下二字不明）てやつぱりあしき香ひ鼻へ入りける。下女は心つきして、しんきな顔でア、どふでも御縁のないのじや。

▽

俚諺に世の中はいつも月花に米のめしおかいからすの子なら三人と有に、是は其三をいて子供四人もつて身上相應にくらせしは、なにはせんはに高島屋源兵衛といふ兩替や。總領と二ばん目は男の子、其次二人は婦にしてしかも風俗すぐれ、姉十七、妹は十五の戀盛あなたからもこなたからも嫁にせんとの相談。いかなる事にや親源兵衞、其儘に打すておくを、子の心親しらずとかへつて、親をうらみくらせしも無理ならぬ事ん。然るに總領喜八、弟の欲兵衞にむかい、なんとこちのうちも親父さまが若い時から段々始抹なされた故、此如に身上も宜なり繁昌するといふ物じやが、此上親父様の氣休に二人の妹が片付を工夫したが、そなたもきいて尤なと思やるならともく〳〵に親父さまへいふてたも。マア親父さまのつね〳〵望にはおれとそなたに女房よんで其上二人の娘を嫁入さするつもりなれど何をいふてもはした事ではいかぬゆへしか〴〵相談も出來ぬといふ物じや。そこでおれが思ふには一向二人の妹をそなたとおれが女房にして、兄弟四人二女夫になれば嫁入の、むこ入の一家付合の、なんのといふ世話もなし、又他人へやれば相應の拵もせねばならぬけれども内でしまへば其如な事もなし。なんと此相談はどうでも有ふといへば、弟は横手を打、成程、それは尤な御了覺、そなたの語らるゝ通、夫では物入も數なし、又二つにはねよげに見ゆる若艸を人の物にせうかとつね〳〵私の業平ぎになつて、大體おしい事ではないに是は幸の事じや。左如ならば姉は其元よろしうなされ。妹は我等がそろ〳〵と手入し、こちらで兄弟四人得としめし合して、おやぢにいふたら、日比の始末氣故定で悦るゝであらふと、兄弟談合しめて、明日ともいはず、すいに妹二人の寢處ゐて、段々右の通をいへば、何かじぶんではづみきつている妹共、明た口へ虎屋の饅頭もらふた様にさつそく相談が出來れば、善はいそげとすぐに其座で新枕。はづみきつたる二人の妹、聲を立てのよろこび泣。マア兄様に此如なよいめにあふとはしらぬ。神さまも御ぞんじない事。モウわしはどうもならぬわいなと。姉がよがれば、妹も、夫いく〳〵とのよまいごと。奥の一間で寝てゐる親父娘が寝間で泣のはおふかた胸に手をおいておそはれはせぬかと子ゆへの闇に、次の間の襖おしあけのそいて見れば、兄弟四人取くんで合せんのさいちう。あまりの事に悔りする拍子にあんど取落、どふとこけしがさぐりより、兄二人がたぶさつかんでとつて引すへ、扨も〳〵おのれらはマアあんまりで、物がいはれぬわい、マア何國にか兄弟同士ふらちな事して世間へはどつらさげて出よふと思ひをる。コリヤ親のじひには此の火の消たこそ幸じや。向後此様なみだらな事しおるなと、夜の事は是切でおれとおのれらさへいわねば濟事じや。重て此如な淺ましい根生持おるな。妹めらも共通りじやと、しんじつからの親父のいけん。息子供はおくりをにやし、コレ親父さま、お前のつね〳〵いわしやるには、わいらが女ほうよんで、妹二人を嫁につけやるにはいかう物のいる事じや。常住いわしやるが氣のどくとに、兄弟いろ〳〵と工夫して一向女夫になつたら、よめ入の、むこ入のといふ事もなし、一段の事じやが、若兄弟女夫になつたら世間からなんとじゆいはせまいかといふたら、弟がいふ事は、いや〳〵此間も山口日向守が神代の卷を講釋さしやるをきけば、兄弟や親子女夫に成事は神代にはなんぼも有。すれば日本に生れたこちらなれば神代の遺風をまなぶといふ物じや。弟がいふによつていか如是は尤な事じやと、兄弟女夫になるが、なんと是でも惡ござるかといゝわけ。親源兵衛はいとゞはらをたて、サアおのれらがその如なこしやくな事をぬかしてちくしやうの名を取をる。コリヤ夫は神代の事で皆神道の秘する事。夫をおのれらが手本にして、マアもつたいない。どうちくしやうめとたゝみたゝいていわるれば、姉娘のお開さし出、是、とうさま、兄弟同士女夫になるを共如にしからしやんすけれど、あのおまへはしなしやんしたかゝさんと親同士女夫になつて、わしらをうまさんしたでないかいのとは兄弟とて抜た氣質の（以上「輕口閑談議」）

▽

まだ二八にならぬおぼこむすめを、内のこがい上り調市そろ／＼あやなしかけ、よい事して上よふと折／＼いへど、こわいからおれはいやといふをむりにころがし、またぐらへ手を入れ見れば、おもひの外うるをひありてゆびで二本やす／＼とすいこみぬ。されどもむすめはうわべは初心な顔にて、わるい事しやるとかゝ様に言つけるといふを、調市ものもいわずむたひに膝へわりこみおやしきつたる一物をぐいとをし込は何のくもなく根まではいり、淫水わき出ることおびたゞし下よりもこしをつかひながらさすがよかりもせずこりやあしう心もちになつた。エイよふなこわいものだと、やはりおぼこなことをいゝながらあとの方にぶら〳〵する物は何いふものだと聞。調市、これはきん玉といふ物さ。むすめ、夢にならずはそれもいれてたも。

▽

手代、醫者のかたへ行、聞合せけるは、手前むすめごもお蔭を以、だん〳〵全快いたします。此間はいろ〳〵の食好みを致されます。鯖、長芋の類は喰てもよふござりますか。成程最早よふござる。松たけの様な物はな。イヤ〳〵それは大禁物で御ざる。成ませぬ成ませぬ。イヤサ松だけの事でござりますムヽ、松茸なればよふござるが、松だけの様な物は成りませぞ。

▽

ちんぼうを夢に見て、判じて貰んと判じの所へ行き有し次第を語れば、是は至極よい夢でござる。今から小間物を仕込み、奥の方へ商ひにござれ。奥へ行ほど能成ますといふに任せ、小間物を仕入れ、奥州南部の方へ行き、大金をもふけける。又外の者、きん玉を夢に見て、彼夢はんじが方へ行、占て貰ければ、それは大凶夢でござる。なぜでござる。「ハヽ門にふら〳〵してゐるから大かた乞食〳〵。

▽

としたけた娘、むせうにさせたう成て。びいどろの中へ湯を入れて、そろ〳〵とやりかけるにうるをひ出て、だん〳〵とよくなるにしたがひ、つよくぬきさしをする度に。ほこん〳〵。

▽

ひとり者、むかふの内儀に惚れて、むすこを手なづけんとらくがんを喰せる、むすこ「内へ歸り、かゝさん〳〵むかふの伯父さんによい物をもらつてくつたよ。あてゝみな。母親「それはよい仕合。定めておまんのまのじか〳〵。むすこ「インヤらのじ〳〵。

▽

殿様、ボヽがお好でとふもおなり遊さぬゆへ。家老用人ともあつまり、色〳〵御諫申上てもかいつて御腹立にて、此上も開の諫言無用と以の外の不首尾、是非なく又〳〵評議する所へ家老イヤ〳〵よき思案あり。なんでも殿様の下帯へ開を染て持上るが然るべしと一決しければ、そうそう紺屋を呼寄、急に此下帯へ閉を正寫に染上げて持參いたせといゝつかりければ、紺屋かしこまり內へ歸ると、けはただ敷二階へ上り、カヽア〳〵と呼ふ「女房肝をつぶし、二階へ上ればてい主閉を正寫に染よとの、御屋敷よりの話といゝ聞せ、カヽアが前をまくり、とくとうつし、急に染させ又カカア〳〵と二階で呼から何でござると、二階へ行ば是、先度のが染あがつた。なんとよく出來たかと見せれば、女房はんにねへ、其儘のほゝでござんすと嗅でみて、丁寧な、コノ匂ひまで。

▽

密男てい主の留守をうかゞひ度〳〵うまことをするを、ていしゆがかぎ出し、なんでもしめてやらんと思ひ、是カヽアや今夜おれは田舍へ行によつて內のしまりをよくして寢やれといつて、隣の二階へ上り、もはや四ツ過にもなりし時分、二階の壁を切ぬき、おのれが二階へ行、いきをころして聞てゐるともしらず、まおとこ御亭主はへとすつとはいれば、けふは田舍へ行たによつて、ゆるりと遊びなといへば、ま男そんならばとまりやしやうとかみさんの側へより、こんやは氣をかへて、ぎをんはやしでしやうと、ヒウ〳〵トン〳〵ヒウ〳〵トン〳〵と拍子にかゝつてこしをつかへば、ていしゆ二階から覗き見ておまりおもしろさにモウ一番所望〳〵。

▽

去御大名御一家へ年頭に御出なされ、供廻り門前に大勢鳴しをしてゐる所へ、出格子に十七八の露考ともいゝつべき美なやつが出た。六尺これあいつをおれが引こませて見せう大勢なにめつたに引込物か。六尺いやおれが引こませようがあるとて、格子の前へ行、大キナまらを出し、小便をしても引こまぬゆへ、大勢それみろ。べらぼうめ、なにそんな事で引込むものかと笑れ、六尺大きに腹を立、あんまりごう腹だから、あの娘は何屋のむすめでござるときけば一門番アレハ湯屋の娘でござる。

續淺草裏譚

石角春之助

序曲

詩人（呆然と池の端に立ち）おゝ、美しい、詩的だ、わしは矢つ張り淺草が好きだ、活達な人間の心臓のような淺草が堪らなく好だ。おゝ、あの美しいイルミネイション、そして、それを圍ぐる活達な人間達、あの華かな嬉しそうな叫び聲、恰も極樂のようだ、わしは矢つ張り淺草を讚美する。貧しい人達の極樂のような淺草を。

そうだ、淺草の美は眞つ裸の美だ、恰度肉體美の美しさだ、純眞だ、處女のようだ。

本當に淺草は活動そのものだ。動いてゐる。挑ねてゐる。踊つてゐる積極的だ。

己れは堪らない、己れは淺草の美に醉つてゐるのだ、限りない歡樂に。（よろめく）
賣春婦（突然姿を現はし）ホヽヽホヽヽ。
詩人　君は何を笑つてるんだ。
賣春婦　だつて〳〵ホヽヽ。
詩人　君も矢張り淺草の歡樂に醉つて居るんだな。
賣春婦　ぢよ〳〵冗談ぢや有りませんよ。
詩人　それぢや、どうしたと言んだ、此の美しい活達な、明快な淺草に住んでゐて……」
賣春婦　馬鹿なことを言ひなさんな、こんな汚らしいと云つてありやしないわよ、恰で人間の腸を引きづり出したようだわ」
詩人　君はどうかしてゐるな。
賣春婦　あんたの方がよつぽどどうかしてゐるわよ。
詩人　馬鹿なことを言ふな、あんなに淺草は笑んでるぢやないか、見給へあれを〳〵。あの通り舞ふてゐる、輕快そうに、恰で小鳥だ。

賣春婦　あんたは淺草のことを知らないのね、血みどれな淺草を。本當に淺草程恐ろしい處つたらありやしないわ、恰度地獄のような世界よ。
詩人　そんな馬鹿なことがあるか、此のプロレタリアの世界に。
賣春婦　えゝ、あるわ、活きながらのミイラのような人間が幾らもあるわ、それは本當に何んと言つて好いか解らないような人間が、地獄のどん底とでも言ふんでせう。
詩人　そんなものがどこにあると言ふんだ。
賣春婦　そこら邊りに幾らも轉がつてゐるわ、あれ、あの乞食を見なさい、あんなに苦しんでゐるぢやないの、恰で死の刹那のような姿で。そして、あの姿を見なさい、性慾の奴隷に身も心もやつれた哀れな姿を。
詩人　いや、あれ等は人間の赤裸々な姿だ、プロレタリアの貴い姿だ。
賣春婦　あんたは本當に狂人ね。
詩人　狂人でも構はん、わしは淺草の讃美者だ、仲見世の混雜するのも好きだ。芝居や活動街の人ごみも好きだ暗にうめく女のそゞろ歩きも何んとなく心を引きたつて哭れて愉快だ、軒を並べた食堂の臭氣は尙更ら好きだ、蹴出しをちらつかせる安來節の女も美しい、眞つ白な襟足を覗かせて居る女給達も華だ。總てが活きてゐる。別天地だ。眞つ黑なわし達の心を休めて吳れる處は淺草よりないのだ。

淺草は現代人の生活だ。

黄春婦　馬鹿なホ、、。

第一編　淺草女の變選

第一章　淺草女の裏表

（一）　淺草女の今昔

「續淺草裏譚」と言ふのは、言ふまでもなく前編の繼續で、此の二つが集まり始めて、「淺草裏譚」の完結を見る譯けである。故も此の二つは、或程度まで個々に獨立したものでこれを離して見るも其の半面を知ることは、無論出來る譯けである。

最初は總てを一冊に纒める考へであつたのだが、書き出して見ると、とても豫定の紙數に纒めることが出來ないことを知り、止むなく上下の二卷に分割した譯けである。此のことは既に、前篇でお斷りして置いたが、兎に角、淺草が日本の民衆娯樂の中心地であり、東洋の大歡樂境であるから、從つて其の裏面に横はる處のさま〴〵な秘密が、多く、忌まはしい性的活鬪が秘められてゐる譯けである。だから最初に考へたより、事件が多く、書くべきことが多いのは、無理からぬことで、寧ろそれが當然なことである。

又私としても書き出した以上、不徹底に終ることは、殘念であり、而かも、充分に、滿足するまで書きたいと言ふのは、著者として誰れでもが持つ望みである。

殊にこれから書かうとする處の事件の多くは、前篇に優る興味と、珍奇なる事件の經緯とは著者として捨てがたいものがある。

處が幸にして諸子の御聲援があり、梅原氏の厚意があつて愈々續編を書くことになつたのである。

前おきはこれ位にして、總論として淺草の今昔と、淺草女の心理とを一言することにしよう。

前篇に於て、淺草が今日の如き隆盛を極めるに至つた原因が、一面に於ては、觀音樣が此の地に垂跡されたこと、他面に於ては、可弱い女が力をかし糸を引いてゐること等である。最も今日では、芝居、オペラ、活動寫眞、安來節、小原節、浪花節、娘義太夫、落語、講釋等の興行物が淺草そのものゝ繁昌を助長してゐることは、言ふまでもないが、しかし、嚴密に言ふと、それ等の中の半面には、美しい女の醜い行爲や。

「出來そうな奴で好きになる安來節」などが淺草の繁昌の主たる原因であることは、議論の餘地がない。

それは恰度鼻毛の長い青年達が、出來そうな女給を覗つて、日參するのと同じ理窟で、洋食の味よりも出來そうな奴が、主なる要件であるように、豐滿な肉體の持ち主が、眞つ赤な蹴出しをちらつかせること、それ自體が主なる享樂の目的となるのであるそして、此の理窟は、如何なる興行物にも應用されることになる。

淺草の賣春婦らしいものゝ影を認めなかつた享保以前のことは、暫らく惜き、享保以後そろそろ出來だした私娼、水茶屋女と今日の藝妓、料理屋、カフエー等の女中、女給とを比べて見るとそこには恐るべき差異がある先づ第一の差異は、生活程度の差異である。

それは歌麿などの錦繪を見ても解ることであるが、昔時の女は、のんびりと、豊かな、何んとはなしに色つぽい其の癖、あざやかな艶めかしさがたゞよつてゐる言ひ換へれば、どことはなしに、輿床かしさと、軟かい高尙味とがある。

處が今日の女は、それが藝妓にしろ、仲居にしろ、女給にしろ、その他あらゆる、女が、如何にもどぎ〳〵した、險惡な、豐が味のない、固い感じのする、所謂、生活苦に似た顔に變つてゐる。

最もそれは男にも見られることであるから、惡いとは言はないか、要するに今日の女は昔時の女のように、溫か味がなく、無味乾燥な、肌ざわりの惡い女に變つて來たのである。

無論、それは時代の變遷の結果で、今日の物質文明が、そうあらしめたと言ふまでのことである。

第二の差異は、女の見方を異にする點である。言ふまでもなく昔時は、歌麿式のすんなりと高い、弱々しい、如何にも病的らしく細い、爪核顔こそ、當時、美女とうたわれるのにふさわしい顔貌であつた例へば水茶屋のお花にしろ、お仙にしろ、お六にしろ、おるいにしろ、お玉にしろ、さては柳橋の三勝にしろ、堀の小萬にしろ、乃至は小染にしろ、苟くも美し人とうたわれた女は、其の殆ど總てが、馬顏にあらざるも馬顏に近き顏であつた。

然るに今日は、どうであらう縱よりも横に太きを以て貴しとし、丈よりもお尻の廻りの長きを以て貴重とし、腕は練馬大根のそれのように、ずんぐりと太く、亭主のどたまの、一つもはり飛ばす程の力量のある女こそ、番茶も出花と喜ばれ、例の極東オリンピツク大會に、出場する女が絶世の美人と感激されてゐる。

斯の如く時代は、女の見方まで經濟化し、實用化し、物質化するに至つたのである。

第三の差異は、昔時の女は、假令それが賣春婦であつても、多少そこに意地があり、見識があつたものだ、例へば水茶屋の女にしろ、其實質は、賣春婦に違ひなかつた。卽うはべは茶屋女であつたが、その實夜のお伽が本職であつたのだ。最もそれは夜に限つたことはない。が、兎に角、昔の女は時々『わたしや厭で御座んす」と言つて、あつたら男の胸板をどすんとやつたものだ。そして一人の男の爲めに、辛い辛抱も堪え忍び、出來る限り他の男との關係を拒んだのであつた。そして當時は、所謂心中立てなるものが流行し、雪の肌へちよんぼりと刺青をしたり、誓紙に血判をしたりして、色男の前に誓を立てるなど、今日見たくとも見られない藝當を平氣でやつてゐた。

處が今日の狀態はどうであらう、男と女がお互ひに欺しつこをやつてゐる結局、欺悶の上手な方が優勝旗を授かる掟になつてゐる。

しかし、それも息むを得ないことだ。今日でこそ僅かに一坪か二坪の仲見世の權利金が七八千圓からしてゐるが、殆ど野原のように、がらんとした昔の仲見世を考へると、世の世知辛さが泌々と感じられるであらう。

全く今日の蹴とばしと、薄情さと、共同便所とは、餘りにも露骨な人間苦である。

（二）　淺草女の心理

若しロムブロゾー氏のような精神病者が、淺草に居て、酒客を相手にしてゐる淺草女や、興行に從事する淺草女や、其の他一般に、多くの客を相手にする淺草女を研究したら必ず賣笑婦定型說で說明し、其の多くを定型女性として、其の中へほり込んで了つたことであらう。言ひ換ふれば、以上の女達は、先天的に娼婦としての運命が備つて居ると言つたに違ひない。淺草女の恐慌だ、恐ろしいことだ。

だがしかし、同氏は伊太利人であり、今は既に故人であるから、其の心配には及ばないが、しかし、少なくとも其の心理狀態が、常人と異つてゐるのは、爭へない事實である。

古手には、それが一層烈げしく、異性に對する好いたらしいと言ふ觀念が、既に慾性的であり而かも、戀愛が男のように阿彌陀割りである。言ひ換ふれば普通の女は、男を戀愛的に見るのか一般であり、而かも、一人の男を深く戀するのが常であるが、藝妓其の他の酒客を相手にする淺草女は、俳優の戀愛に付いて述べたように、恰も片手を擴げた如く、二人若くは三人に、同時に同一の戀を爲し、愛することが出來るようになつてゐるのが本則である。つまり異性を性慾的に見る結果である。

斯くの如く以上の女が、その戀愛と、異性の見方とを異にする原因は、固より同一とは言へないが、其の主たるものは、あらゆる男の甘言と、あらゆる男の巧言と、そして、それから來る欺罔と、翻弄と、罵倒と、嘲笑と其他のあらゆる異性との交渉に、超越し男を男と思はなくなつて行く結果に外ならないのである。即ち男は女にがけては、甘いものであることを知り、而かも男の弱點を握り、急所を摑んでゐる結果恰も男を性慾の玩具化の如く考へるに至つたのである。

更らに今一層解り易く言ふと、男は口程にもなく、案外脆く、猫撫で聲の一つも利きにつと微笑んでやれば、譯けもなく罌の穴へ轉げ込み、聽ては言ひなり放題、要求次第に、何んでもかんでも意の如くなると言ふ野郎にとつては、餘り有りがたくもない自覺を得ることそして、男は恰も性慾の奴隷の如く、人格を自ら毀損して、嘘を言ひ異性の歡心を買ひ常に欺かそうとしてゐるだから初めの裡は、其の手段に、まんまと乘るが、二三度乘つて見ると、大抵の女が覺醒めて來るどんなに無智な女でも、それが度び重つて來ると、野郎又性慾の奴隷を始めたな、よし欺ましつこならこちらの方がうわ手だぞと腕によりをかけ始める。

そうなつて來ると、總ての男が性慾の奴隷であるように見え出す。そして、男を男と思はなくなり、遂にはこれを性慾的に見ることになるのである。

それから不思議なことは、彼女等の多くが、感覺神經の痲痺を受けてゐるにも拘らず異性に對する直感が、比較的正確であり、迅速であることた。これは淺草の或藝妓の話であるが、例へば数人の客の席に侍べつた時「今晩ありん」と言つて頭を擡げた瞬間、上眼に觸れた男の傍に寄るのが常であるが、其の直感は決して間違つてゐないと言つてゐた。

最もこれには、多少の誇張もあるであらう。そして又、彼女等が自己催眠に罹つてゐる場合もあるであらうが、其の性格までが、ぴつたり感ずると言ふに至つては、多少そこに疑問の餘地がある。

だがしかし、それは彼等の體験から來る統計的直感であつて、多く信ずるに足らないものではあるが、それにしても職業、年齢、生地、有妻無妻等の判所は、へまな大道易者よりも遙かにうわ手であり、巧妙である

かつてかう言ふことがあつた。五六人で或カフエーへ行つた時、一番年上の私一人が、孤獨の悲哀に泣く憐れなヤモメ男だと言ひ、其の他は總て圓滿なる家庭を造つてゐる幸福な男だと觀破した。殊にその中には、二十歳を一つか二つを越しに許りのお坊つちやんらしい青年もゐたのであつた。それなのに。一番爺臭い、一番年上の、一番御面相の惡い私が、どうしてヤモメ男なのだと聞いて見たが、それに對し理窟がありそうな筈がない。只だ直感的に、そう感じたに過ぎない

のだ
兎に角、酒客を相手にする女の直感は、或程度まで的中するものである。

第二章　奥山水茶屋の女

（一）公園の池と水茶屋

本書の目的としては公園の池がどうならうと、そんなことはどうでもいゝことであるがしかし今日では水茶屋なるものを知らない人が、随分少くない。そこで先づ現在、池の周圍に殘つてゐる水茶屋を緣故に、池のことから明かにして行かう。

一體あの瓢簞池なるものは、何年頃の開鑿にかゝるかと言ふに、それは明治十七年の公園地改正の際、同十八年開鑿されたもので、その面積は凡そ千二三百坪近くある。今日の處はどうなつてゐるか、調べても見ないが、開鑿當時から十年以上も田原町の「やつこ」が年々鰻を大笊に二杯づゝも寄進したものである。そして又、今日では其の跡を絕つてゐるが、池のほとりには殆ど明治の末期まで、金魚麩を商つてゐた。それは言ふまでもなく池中に、多くの金魚が寄進によつて放たれてゐたからである。

此の池を圍ぐつて、現在尙四軒の氷茶屋が、殘存してゐる。これが昔の水茶屋の盛況を偲ぶもので、庭苑にも二三軒あり、更に傳法院側の道路に面し、七八軒の小舍に近いものが、擔座してゐるが、今日では全く昔の影もなく、すし、天ぷら、おしる粉の普通の商家になつてゐる。殊に夏場になると、何れも五錢からの極く簡單な氷見店である。

此の事實から奥山の水茶屋を考へて見るも、諸子の想像を破るに充分なものがあるであらう。何故なれば、お花と言ひ、お仙と言ひ、洗髮のお六と言ひ、其の他書物に現れてゐる水茶屋の女は、總て淺草を代表する美人であるかの如く思はれてゐる。又事實そうであつたかも知れない。

處か其の美人が居た家はと言ふに。今日殘存してゐるそれを見ても解ることであるが、當時は一層それがみぢめであり、みすぼらしいものであつた。多くは葭簀を張つて、雨露を凌ぐに過ぎないものであつた。最も後には小ぢんまりした家屋を建てゝ軒ぎわに藤棚を吊り、床几を敷脚並べ、客に茶菓子を進めるようになつたのであるが、水茶屋の最も旺盛を極めた享保後天明までは大抵葭簀を張つた、頗る簡單なものであつた。

兎に角、境内に水茶屋が出來たのは、享保十三年の奉行大岡越前守が、境内に民家を許す公布を爲してからのことで、其の祖先は、前編で言つたように桔梗屋安兵衞が、眞つ先きに葭簀を張つて、淺草餅を賣り出したのが始りで、其の後間もなく、所謂、腰掛け茶屋なるものが出來、それが廳て、仲見店二十軒茶屋となつた譯けであるが、出來た當時は別に怪し氣な女など居なかつた筈である。それと同時に、境内には奥山の水茶屋が出來、美しい、あざやかな女が、あだつぽい姿で、お茶などを進めて居ることが、生活難も、世の中の世ち辛さも知らない、當時の若い衆や、粹人、通客の眼に止まり、遂にはお仙が茶屋などと言ふあだつぽい名稱が出來、茶屋おなごが變じて、賣春婦に淪落したのであつた。

處が其の事實が、圖らずも淺草を益々繁昌させ、而かも、かうした忌はしい女が、淺草を代表する美人であり、淺草賣春婦論の一頁を飾る有力な文献記事となつたのである。

即ち水茶屋の女は、淺草賣春婦の祖先であり、嬌矢であるから淺草賣笑婦を說く以上、順序として水茶屋の女のことを一言せねばならぬ。しかし、これに付いては、多くの考證家が、さまざまの方面から、さま／＼に論じてゐることでもあるから、そうした點は、極く簡單に其の要領のみを述べ、特に考證家が洩してゐる點、（卽ち明治、大正に跨る出來事）に付いては出來る限り詳細に述べることにし、本章は比較的簡單に片附けることにする。

（一）　奇しき運命のお花

或一說によると、水茶屋の祖先は、仲見店よりも仁王門內卽ち奥山の方であると言つてゐる。そして、それが通說である。しかし、私は現在の仲見店、卽ち參道の方が、奥山よりも最初であると言ふ說に左坦するものである。何故なれば、前にも屢々言つたように、享保十三年前は、境內は勿論、參道と雖も民家の建築を許さなかつた關係上、總て葭簀を張つて、參詣人の休憩に供し、餅若くは茶菓子を進めてゐたのであるから、從つてそれは參道から發達すべきものであり、現に多くの文獻書に、歌仙茶屋なる字句が用ひられてゐる。（歌仙茶屋とは、仲見世二十軒茶屋の前名である。）

しかし、そんなことは、此場合どうでも好いことであるから、多くを言はないが、兎に角、享保年間に、仁王門近くの境内に、吉野屋と言ふ水茶屋があつた。言ふまでもなく葭簀を張つた見すぼらしい、假小屋であつたが、そこの茶汲女のお花と言ふのが、家とは正反對に、水のしたゝるやうな、美人であつたので、忽ちの中に噂の種となり、大評判となつた。しかし、お花は決して幸福な娘ではなかつた。かうした女にありがちの美人簿命に泣く女であつた。

と言ふのは、先づ第一にお花は、産の母親の顔を知らなかつた。それはその筈である彼女は生れると間もなく、父親の宗右衛門に連れられ、産れ故郷である奥州路を後に、艱難辛苦をして、江戸に上つたのは、まだ好いとしても父親は江戸に着くと、間もなく病ひの床につき淺草田原町の長屋に、貧と病ひの責苦に親子二人が悩まされつゝあつた。が、遂に宗右衛門は、愛する娘をも見放さねばならなくなり、直ぐ近所の小間物を商つてゐる。三右衛門と言ふ家へ養女にやることになつたのである。

お花が三右衛門の養女になつた時分は、商賣も繁昌してゐたし、三右衛門も壯健であつたから、何一つ不自由なく、お花は殊の外寵愛されてゐたのであつた。が、お花が丁度十六の春を迎へた頃から、三右衛門は床についてゐたが、一年も經たぬ中に、果敢なく消えて行つたので、とうとう店を閉め、又しても浮草のように悲しい身になつて了つたのである。そこで家主の喜右衛門と言ふ人の世話で、前記の處に吉野屋と言ふ名前の水茶屋を出したのであつた。

處がお花は、前にも言つたように、稀れに見る美人であり、而かも、浪人とは言へ父は立派な武士であつたから、從つてお花もその氣性を受け、全く江戸ツ子らしくきびくした氣持ちの女であり、更らに怜悧な上に、養父からさまぐな教育を授けられて居るので鬼に金棒と言ふ處であつたから、これが評判にならずにはゐなかつた。甘黨連は、勿體なくも觀音樣にかこ附け、朝と言はず晩と言はずお花の尊顏を拜する爲めには、時も勞も惜しまずお百度して願をかけたが、更らに御利益がなかつた。

それも其の筈である。お花には二世を契つた可愛い男があつた。それは、御書院番の大久保藤三郎と言ふ者の弟で、當年とつて二十四歳と言ふ色男盛りの榮三郎であつた。

二人が二世を契ふまでは、榮三郎は可なりの金を費つた。部屋住ひの榮三郎には金のなる木を持つてるなかつたが、お花の歡心を買ふ爲めには、無理な算段して決して辭しては居なかつた。遂に榮三郎は金に窮した。そして、その結果は、世間にあり觸れた事件を惹き起したので、彼はとう〳〵家を逐ひ出されて了つた。

追ひ出された榮三郎は、意氣地なくもお花の家に轉げ込んだ。かうなると、幾らお花が美人でも、そして又、幾ら甘黨達が甘いからと言つた處で、情夫のある女を見越して、ヤンヤ〳〵で騷ぐ奴はない。遂にさびれる時がやつて來た。そして、それが募ると、其の日の生活にも差支へるようになつた。

そこで止むなく榮三郎は、本郷に住む旗本久永織部の中小姓になり、お花と養母とは、本所の矢張り旗本である鈴川家の女中に住み込むことになつて、漸くけりは附いたが、奇しき運命の持主であるお花は、それだけでは濟まなかつた。主人の鈴川は放蕩無賴の男で、お花の美貌を見ると、一も二もなく無條件に惚れ込んで了つた。惚れただけなら始末がよいが、丑滿頃になると、無格好な男が四つ這ひで性懲りもなく、殆ど毎晩やつて來るのでお花は立る操を破らじと、屋敷を逃けて、家主の家へ歸つたのであつた。

處が鈴川は、そんなことでお花に對する執着を捨てるような男でなかつた。とり殘された養母を脅迫し三十圓の金で、二人の緣を切るようにと、金を渡したので、養母は止むなく、其の金を持つて鈴川家を辭し、とり敢えず從弟に當る孫兵衛宅に立ち寄り、其の夜はそこで寢ることになつたが、それが圖らずも事件勃發の端緒となつたのである。

と言ふのは、其家の息子で、孫七と言ふ放蕩者が、其の金を盗み出したので、お花の養母おさよは、鈴川家へは無論、歸られずそれかと言つて行く處もないので、更に角孫兵衛方で金策を待つてゐたのであつた。

そう言ふ手違ひがあつたとも知らない鈴川は、てつきりお花と榮三郎とが、猫婆を極めたものと思ひ、其の腹いせに、お花を誘拐しようと企てたのであつたが、折よくも榮三郎が來てゐた爲めに其の難を遁れたのであつた。

しかし、それだけでは、お花に絡まゐ遭難は濟まなかつた。榮三郎の賴みで匿つてゐた日置家でも、又一騷動もちあがつた。それは當家の放蕩息子民五郎と言ふのが、お花の美貌に打たれ、寄ると觸ると、お花を口說くので、遂にそれが父親の耳に入り、お花は再び他家に移されたが、此度は民五郎の遣る瀨ない煩惱が許さなかつた。

遂に鈴川と共謀することを考へた。そして、それを實行する爲めに、さま〴〵にお花を苦しめた。

一方養母は、そんな事件があつたとは知らず、三十兩の金が、漸くのことで出來たのでその金を持つて、鈴川家を訪ねたのであつた。

處が鈴川は殊の外、立腹し養母のさよを荒繩で縛り物置の中に炭か何んかのように、無雑作にほうり込んで了つたのであつた。二三日經つてから炭屋が、それを見つけると、おさよはすみ屋に「一生の願ひだから、此のことを榮三郎に告げて呉れ」と賴み所番地を教へたので、炭屋は同情の餘り、おさよの願ひを聞きとゞけ早速本鄕に榮三郎を訪ふたのであつた。

榮三郎はとる物もとりあえず早速お花を呼び出して、二人で、鈴川家へ押入ることを相談し手を携へて本所へと馳け出したのであつたが、時しも神田の明神祭りで、とても大した人混みである上に、大喧嘩が突然勃發したので、とう〳〵二人は、其の渦に卷き込まれ別れ〳〵になつて了つた。

お花は懸命に捜して見たが、破れるような人混みなので、とても解る筈がなかつた。途方に暮れた揚句、引返へして榮三郎を再び連れ出すことが上ふん別と考へ、慌ただしくとつて返へしたのであつた。全く事の起る時は、仕方のないもので、お花が人家の稀れなお茶の水の處まで駈け附けた時、不意に一人男が現はれいきなりお花を抱きしめた。

男は言ふまでもなく民五郎であつた。「お花さん」と言ふのが、もやを破つてお花の耳に達ると彼女は場合が場合であつたので、其の瞬間、すつかり昂奮し、隱してゐた剃刀を執ると、無我夢中で斬りつけたから、民五郎の顎の處を微かに斬つた。

かうなると流石に、弱い男もカツとなり、一刀を拔くが早いか、お花の胸倉をとり、厭と言ふ程咽喉を突いた。お花がそこに倒れると、民五郎は、お花の懷中から、大金のは入つたふく紗を拔いて、その儘何れへか消えて行つたのであつた。

お花と前後して、養母おさよも鈴川の爲めに、果敢なく此の世を去つて了つたのであつた。

（二）お國とお豊

幾ら昔でもお花のような貞淑な女許りはゐなかつた。多くは痴わ喧嘩をしたり、失戀の浮世を流すのが、水茶屋女の本姓とされてゐた。殊にこれから書かうとするお國とお豊は、其の中でも變んてこなことで、二人共戀する男に殺されたと言ふ慘殺事件の一つである。

お國もお豊も奥山の水茶屋女であつた。

家こそ違ふが、二人は極く近しい仲だつた。殊に二人は戀敵であつた。が、しかし、お國は馴染客の久兵衞と言ふ相當年配な旦那の妾となり、本所番場の妾宅に移つたのであつた。

お國の旦那久兵衞は、淺草榮久町の質屋で、其の土地では、指折りの資産家であり、而かも、相當信用のある人であつたが、早くから妻に死に別れた關係上、足繁くお國の居た水茶屋へ通つたものであつた。そして、冗談言ひ〳〵してゐる中に、つい冗談が眞となり、お國に茶汲女を止めさせることになつたのであつた。

處が二月程すると、突然久兵衞宛に、女名前の變な手紙が屆いた。久兵衞は不審に思ひながらそれを開いて見ると、お國の身の上のことや、お國の素行のことが、細々と書かれ、而かも、お國には今惡道が附いてゐる、から氣をつけたがよいと言ふような文面であつたが、何に分にも金釘を曲げたような文字であるから、的確に讀むことが出來なかつた。

惚れてゐたとは言ふものゝ、分別盛りの久兵衞には、二十代の盲目的な戀と異ひ、無論理性を失ふ程の熱情さは無論なかつた。殊に冗談からコマが出た戀であつたから、そした不快な手紙を見ると益々熱が冷めて行つた。

それなのに、間もなく同じ名前の、同じ文面の手紙が、又しても舞ひ込んで來た。久兵衛は愈々當惑し、何んとかしてお國との縁を切りたいと思つた。が、しかし、其の半面には又、あだつぽいお國の姿が宙に浮んで、久兵衛の決意を惱ますのであつた。

けれども、それは別に差し迫つたことでもないから、お國と會つても彼は、そんな見振りも見せなかつた。

處がこゝに一つの事件が突如として持ちあがつた。

それは萬延元年八月三十日の宵の口のことであつた。

久兵衛が二の足を踏みながら、それでも未練が殘つてゐたと見え、本所番場の妾宅へ人眼を忍びながらやつて行つたのだ。すると何時とは、樣子が違い。家内は眞暗であるから、よく解らないが、何んとはなしに身の毛を逆立たせるような、物凄さを感じさせた。と言ふのは、血生臭ひにほひが蒸し暑い空氣に溶け込んで、眞つ暗な室内から、もう〳〵と流れて來たからであつた。

しかし久兵衞はそれにも屈せず奥の間へ手探ぐりで這入つて見た。そこには女が倒れてゐた。彼は衝動的に「お國」と叫んだ。しかし、彼に感ずるものは、もう〳〵と鼻を衝く、えたいの知れぬ臭氣のみだつた。其の實跡に、久兵衞は不吉なさま〴〵を考へた。そして、その瞬間逃げ出さうとしたが、足が釘つけにされ、固くしやちこばつて動かなかつた。と言ふよりは、よろ〳〵とよろめいて、そこに倒れた。手はべつとりと氣味惡く汚れた。

それからどうして、逃げ出したものか、はつきり意識はなかつたが、兎に角、近傍の人を連れて再び現狀に來て見ると、お國は無慘な死を遂げ、眞白ろな肌を赤く彩つてゐたので、とり敢えず其の由を上役人に届出でたのであつた。

檢視の結果、下手人が女であると判斷された。それはお國が殺されてゐる奥の間から、出口に至るまで、小刻みに女の足跡が、生々しい血汐でしるされてあつたからだ。しかし、犯人は一人でなく、二人以上であつたに違いない。何故なれば如何に度胸のすわつた女でも、人を殺してから、悠々と雨戸を閉め、而かも、下駄まで履いて逃げ出せるものでないと言ふのが、岡つ引きの金五郎の判斷であつた。

そして、彼は其の事件の動機を痴情關係に求めたが、何に分にもこれと言ふ物的證據がないので、ひどく頭を惱してゐる折柄、駒形河岸に女の身投げがあたつと言ふ噂が、金五郎の耳に這入つた。彼はてつきりお國殺しと關係のあるものと信じたので、現場へ驅け附けて見ると、それはお國と同年配の女であり、而かも、同じように奧山の茶汲み女であり、そして、それが花村のお豊と言ふ美人として可なり定評のあつた女であることも解つたので、金五郎は思はず手を拍つて喜んだ。彼はそれだけのことを知ると、其の儘我が家へ歸つた。そして、兒分の者に命じ、奧山の水茶屋で、二人の女の身の上と、情夫とを調べさせた。するとそれは、金五郎が想像したように兼吉と言ふ一人の男が、二人の情夫であつた。

兼吉の自白によると、お豊と兼吉とが、ちよつとした用件で、お國を宅に訪ねた處、何時もゝつれ合つてゐる二人は、何かのきつかけから、嫉妬喧嘩を始め、遂にどたんばたんの大騷ぎを演ずるに至つたので、兼吉が仲へ入ると、此度はお國が兼吉に喰つてかゝり、又してもとつ組み合ひが繰り返へされたのであつた。

處が氣の早い兼吉は、カツとなり、そこにあつた剃刀をとり、お國を斬つたので、お豊は驚いてそこから逃げ出したのであつた。

兼吉はお國を殺すと、お豊の跡を追つて、水茶屋に行き「一緒に逃げて呉れと頼んだが、お豊はそれを拒んだ。そこで兼吉は、自暴糞になつて、手拭でお豊の首を締め、其の死體を駒形河岸に捨て、お豊がお國を殺したものゝ如く見せたのであつた。

（三）　淺草の三人お仙

明和年間に江戸の三人お仙と言ふのがあつた。此の三人お仙は、何れも繪に書いたような美人で、而かも同じような職業を持つた女であつた。

しかし、その中で一番賣れてゐるのが、谷中三崎町の笠森お仙である。笠森お仙に付いての事跡は、多くの文獻書でも現はれてゐるし、又明治年間には、子供の手毬歌として、盛んに唄はれたものであるから、大抵の人が知つてゐる。

處がそれが不思議に、淺草奥山のお仙と混同され、多く同一人の如く誤信されてゐる。即ちお仙が茶屋と言へば、笠森稲荷の境内にあつたお仙が茶屋には違いがないが、其の後笠森お仙が中川新十郎と手を携へ駈け落ちした後、再び淺草で水茶屋を始めたものゝように考へたり、殊に甚だしい人になると、お仙の茶屋は、奥山にあつたなどと言ひ出す人さへある。

兎に角、同じ時代に、同じ職業の、同じ名前の評判娘が出たことは、確かに賑はしいことには違いがない。

笠森お仙に付いては、別に淺草の水茶屋とは關係はないが、彼女が淺草の區內に殺されてゐたことゝそして、淺草で殺されたことを考へると、全然無關係と言ふ譯けには行がない。そこで奥山のお仙と間違へられることを縁に其の事跡の大體を書くことにした。

お仙は草加宿の百姓、忠右衛門と言ふ者の娘に生れた。が、或事情で女郎に賣られる所を谷中三崎町の笠森稻荷の境內に、水茶屋を出してゐる太兵衛と言ふ者が、それを聞いて不憫に思ひ、女郎に賣るだけの金を忠右衛門に渡し、お仙を養女にしたことは、慥かに感心な行ひであつたが元來美貌の持ち主であるお仙が、赤い襷に赤い蹴出をつらつかせ、まめ〳〵しく參詣人や、通行人に茶菓子を進め、滴るような愛嬌を振舞つてゐるのを朝夕見せつけられてゐる中に、感心な親爺であつた太兵衛が、何時の間にか餘り感心の出來ない考へを持つやうになつた。そして、それが日増しに募つて行くと、彼は養父としての權利を棄て、色男の辛さになりさがつたのであつた。しかし、それは鮑の片思ひとやらで、何時でも容赦なく皺だらけの胸板をどん〳〵と打たれてゐたのであつた。

しかし、それ位ひな致命傷では、太兵衛の燃える心はどうにもならなかつた。「女郎に賣られる處を助けてやつたことを忘れたか」と野暴臭いことも操り返へしても見たが、それでもお仙は、頑として許さなかつた。

遂に太兵衛は、お仙に辛く當るようになつた。太兵衛の妻は妻で、赤い嫉妬の焔をちよろ〳〵と現はしそれとはなしに、お仙をいぢめた。しかし、しかし世間の業平共はそんな經緯あらうなどとは夢にも考へず、仇つぽい美しさに打たれながら、澁茶を横眼で睨む連中が、朝から晩まで盡きなかつた。

此の點は憶かに、太兵衛も妻もお仙に感謝してゐたに違いない。しかし、それ以上に二人は、異つた意味で彼女を憎んだ。寄ると觸ると、夫婦喧嘩を始めた。恰でお仙の茶屋は、蜂の巣でもつゝいたような光景だつた。

聽てお仙の小さな胸は、大きく動揺する日が來た。「姿故へに此の騒ぎは」そんなことを考へると、日頃馴れ染めてゐる佐竹侯の作事奉行中川新左衞門の一子新十郎が、戀しく懐しかつた。いつそ逃げ出して了ほふかとも考へることがあつたが、氣の弱いお仙にはそれも出來なかつた。

處が幸なことには、太兵衞の妻が夫に對する復讐の積りで、お仙の心持ちを察し新十郎との間をとり持ち、而かも、彼女をそつと逃がしたのであつた。だからお仙は新十郎の盡力で、淺草諏訪町に隱家を構へ、以前に變つた樂しい生活を續けることになつた。が、さて納らないのが、五十男の遣る瀬ない戀であつた。殊にお仙が家出したことが、世間の噂に昇ぼると、「向ふ横町のお稲荷さんへ、一錢あげて、さつと拜んで、お仙の茶屋へ……」と急に連中の足跡がばつたり止つて了つた。

それやこれやで太兵衞の心は、にえくり返つた。「えツ、いま〳〵しい、草の根を別けても捜がして見せると力んでも見たが、それは容易なことではなかつた。が、しかし。運命の神は、弱き彼女を保護しては呉れなかつた。通り蛇のような執着を持つた太兵衞の眼に止まり、淺草諏訪町の隱宅で、彼の刃にかゝり果なく此の世を去つたのであつた。

今一人のお仙は、前にも言つたように、奥山水茶屋の茶汲女であるが、彼女は純粋の江戸ッ児で、きり〳〵と歯ぎりがよいので、その道の通人をして、歯痛を起させる程の美人であつた。しかし、その美は笠森お仙の美よりも、粋な美で奥深さがなかつた。つまり笠森は高尚で、奥床しさがあつたが、此のお仙は藝妓の美のように、ぱつとした華かさで、高尚味に缺けてゐたのである。

處が吉原の三日月お仙になると、それが一層際立つて、物凄い美であつた。つまり彼女は、ヒステリツクの美人で、とぎ〳〵した、その鮮水の滴るような美人であつた。それに三日月お仙は、多少變態性慾の傾向があつた。現に彼女は眞つ白な雪の肌へ三日月の藉刺をしてゐた。それが又ひどく、物凄かつたのであつた。

しかし、以上の三人は、殆ど時代も、年齢も同じであり、三人とも何か特徴のある美人であつたのは、面白いことではないか。而かも、それが三人とも淺草に、直接間接關係を持つてゐることも、面白い現象である。

えくせ・ほも（誌上連作餘技）

（發端）萬國裸体展覽會々場

（一）

小役人のバツコする金持ちのチヤウリヤウする八百長政治の迷茶苦茶な壓迫のもとに、永年、自由も權利も飯も女も性慾もフミにじられてゐた極東の或一小國から、突然、一人のガムしやらな男が壓迫に堪へ兼ね、拔け出して世界革命の急務なるを宣した。

幾億の民衆は、この叫びに勝鬨を擧げて武裝した。一時間後に數千人のテロリストが、その國々の凡ゆる閣僚達を始め要路のコツパ役人どもを片ツ端から引きさらつて、永年の恨み思ひ知れと許りに、物の見事に虐殺したのであつた。と、その途端今の今迄、キヤツ等のための奴隷達に屬した其國々の軍隊の凡ては、本物の人間に、ひらりとヒヤウ變したんであるのであつた。

二時間後に政府は急轉した。ガムシヤラな男は遂に撰ばれた。革命軍事委員會や最高機關たる中央革命執行委員會では、その男をデイ統領とかにスイセンしたのであつた。

で、その男は先づ叫んだ。

「全世界の全人類を卽刻素ツ裸にせよ」

テーゼはラヂオに依つて全世界の空氣を震動せしめた。世界の全人類は忽ち素ツ裸になつた。

で、その男は再び叫んだ。

「今や吾々は自然に還つた。凡ゆる階級を超越して赤裸々の人間樣に還つたのだ。」

私は銀座に出て見た。舖道の上をゆきかう凡ての人間どもが素ツ裸で街を歩いてゐた。そこには貴族も金持ちも平民も乞食もゐなかつた。大臣も巡査も裁くものも裁かれるものもゐなかつた而かも其等が文字通りの赤裸々で猿股もズロースも腰卷も褌もはいてゐない。私は特に昔、其貴族や金持ちの小娘であつた年頃の女の肉體を見、そして觸て見る事に多大の興味と快感を覺えた。見よ！ 丸髷も銀杏返しも、島田も斷髮も、毛ながも前垂れも凹もカハラケも、ありとあらゆる愉快なものが、ロハで見物出來るぢやないか。

私は叫んだ。狂氣した。氣が遠くなつた。そして、此の全世界を素ツ裸にした其の男に、無條件で讃美したのであつた。

淺草では、朝から幾十萬と云ふ裸の波がうねりかへつてゐた。老いも若きも、年増も小供も、瘦せたるも肥へたるも皆が皆、この裸の海を組織づくる細胞の一ツ一ツであつた。私は其中を、右往左往に泳ぎ廻つた。そして、見るからにオ尻の大きな肉體美人にニヤリと睨らまれた刹那ヒヤリとせずにはゐられなかつた。仲店も活動小屋も地下鐵も裸の陳列場で、氣の至つてお弱い私の視神經は、餘りに强烈な刺戟のために驚てグラグラと目暈を感ずるのだつた。

地下鐵道から廣小路の舗道に出て青バスに乘つた。と此時、私は得體の知れない二つの物體を前方に腰掛けた二人の女の局部に於て發見したのであつた。一人の女は、密林の中に居を構へる古池の中から、なすび型の紫色のゴム風船に似たものをブラ下げてゐた。そして時々呼吸の合間々々にフクらんだり縮んだりするのであつた。

不思議なものもあればあるものかと物好きな私の視線は、暫しそこから離れやうともしなかつた。私は嘗て學校の先生から授つた學問の有りと凡ゆる有りつたけを絞り出して考へて見た。が學校の先生は、それに就いて一言も敎へては吳れなかつたらしい。出版法や警視廳違判處罰令の中にも書いてなかつたし……思案に餘つて、女車掌にコツソリ耳打して尋ねて見た。

　女車掌は、薄氣味の惡い笑みを洩らした。

「あれは一名おなすと云ふんですわ。子宮がハミ出したんですの。お産のあとで、よくやるんですつて、ホホヽヽヽ」

「成程、ぢやアレにゴミやホコリがついたら先づなすのしぎ燒てな所でがんすなも。」私も笑つて見せたことである。が、すぐ私には第二の疑問が湧いて來た。で、再び女車掌をわつらはしたことであるが、と云ふのは、その隣りに腰かけた乳房の生めかしい女の股倉に桃色の紙がチラホラ見へたからであるのであつた。

「アラ厭やだ。ツメ紙ぢやないの。」女車掌は堪え切れなくなつたと云ふ笑ひこけかたである。と、私は急に眞面目になつた。そして車掌を強力制してゐるではないか。

「何がお可笑しんだ。止せと云ふにツメ紙や、なすが、なぜ滑稽なんだ？　見よ、街を歩く男の群れの中にナント多くの大睾丸がゐるではないか？」と。

　それから私は色んなものを考へた。突然、

「須田町、須田町」と叫ぶ女車掌の聲に驚いて、私は靑バスを棄てた。が、棄てしなに凡てが面倒臭くなつたので「切符は？」と促す女車掌の穴の中へ「此處へ置くぞ」と、私は切符をねぢこんで飛び降りてやつた。

「ざまア見やがれ」と、私は愉快でならなかつた。

（二）

翌くれば一九二八年一月元旦であつた。

この日、世界共産社會主義聯邦ソビエット政府中央執行委員會では、再び全世界の全民衆に向つて、痛快無比なるテーゼを發した。

前代未聞の素晴しい宣告に、幾十億の民衆は、朝まだきより太平洋の廣場に波を打つて押し寄せた。物語の發端は茲から展開するのである。（續く）

（附說）

親愛なる讀者諸君よ。物好きにも此のあとを續けて此の物語に花を咲かせ、實を結ばしてやらうと云ふ勇氣ある士を募ります。次號の誌上をA君が續けるとすれば、その次はB君が執筆すると云つた式に……で、若し誰れも應じてくれなかつたら、當方の腹案通りに物語を進行させますが、なるべく。多くの投稿のある事を希望します。內容は如何なる極端なることでも結構ですが、必ず時代を諷刺し、時代の心臓をえぐる所の鋭いメスを用ひることを怠らないやうに願ひます。この物語は今年の讀者餘技として續けられるだけ續け、最後は梅原北明が完全に物語の尻を結んで見せるとのことですから、彼をして如何に屁古垂れさすやと云ふ腹の黑い考へのもとにドシ／＼風呂敷を擴げて出來るだけ尻りくゝりのつかぬやうに努力して欲しいです。では、ドシ／＼たのみますよ。

猥褻風俗史（自中世至近代）

エドアルド・フックス

文藝復興期編（一）

序

孰れの時代にもあれ、其當時の風儀の外貌、時代の道儀的觀照又は風儀に關する法令といつたやうなものは、畢竟一定時に於ける人類の性的行動形式を規定するものであり、時世の進展を觀ずる上に最も重要且顯著なる現象である。

各時代、各民族、各單獨階級の眞相は實に是に依つて最も明かだといふべきで、吾人に取りて道の千樣萬態の反映を示す性的生活なるものは、但に人生の一大重要法則たるに止らず寧ろ引括めて人生の法則はこゝに在るとさへ思はれるのである。人生の根本的作用が形となつて現れたもの即ち時代の風儀の外貌であり、道儀的觀照であり風儀に關する法規である。

生活々動の形式中只の一つも、否其成立分子只の一つも性的基礎に依つて決定的な――少くとも賦性的(カラクテリジーレンド)な褶付(ひだつ)けを蒙らないものは無く諸民族の生活公私を問はず擧げて性的興味及傾向を滿喫せざるは無い。是こそは實に個々人にありても總體として見ても一日と雖も日常生活を離れざる扱めども盡きない永久の問題でありプログラムである。

所が爾く吾人の生活に纒綿する此事象は、初終中相異る樣式を採り其法令は常に新たに改竄修正されてゐる。――此一事甚輕々に附すべからざる事であるが、――其動く限界、即ち單なる動物的慾求の滿足と相去る事遠からざる自然力といふ一極點から反對の一極點、最も貴い生存の秘密、萬有の終着點が高潮し、又もや唯もう相次ぐ淫猥の材料たり、一言一行悉く飲めや唄へ式官能の亂痴氣騷ぎに資する境地迄墮存する間を色々の雜多に常に、新たに推移するのである。

如上總てに基き、文化の種々なる進展過程に於ける官能的現象の歷史は總人類史の主要成分だと言つても決して過言では無い。定つた境界を附與する一の概念に總括すれば――性的道儀の歷史は人類の社會的存在の最も重要なる範圍を包括するといふ。詳しくは合法的及不法的愛（結婚、夫婦の貞操、節操姦通、賣淫）、性的行爲の興味に依り及び、行動の用に供せんがため男女相互に言ひ寄る無限の樣式、求婚の凝成せる風儀及慣習、美の概念、愉快及享樂、精神的方面（說話、哲學、觀照、法律等）の表現樣式、是等悉くの總歷史であり、最後に凡ての藝術に依るイデオロギッシュな變形の歷史では無いが性的衝動は斷えず新たにこの方に誘導されるといふ事になる。

斯の如く官能的現象の歷史は總人類史の主要成分なるが故に各國土共是を報ずる文書は實に豐富なものがあり、滾々として盡きないのみならず、凡そ人間の頭の考へ及ぶ最大なるもの及最も意義あるもの、過激極まるもの及奇怪至極なるもの、轉じては愚の骨頂、平凡の極、悉く此中に集り、人間の最も大膽なる思索、殆んど人間業と思はれない神來の成果と、其最も傷心しき迷誤の所產とは渾然する一體となつて此處に現はれてゐるのである。

洵にこの性道德を專門とせる風俗史は、過去に對する歷史的認識を獲んと努むる者に取りて其土臺となる重要なものであり、而かも是を探究せんとすれば泉の如く湧き出る材料が爾く豐富なるにも拘らず、性道德の發達史は現時の史學中目立つて等閑に附せられてゐるのである。獨逸に於ける書目中、此領域に於て、見るに足る硏究といへば高々古羅馬に關するそれを有するに過ぎず、中世以後の時代風俗史なるものは今日に到る迄一つも無い。

中世からといへば此歴史的一時代を劃する期間内に性道徳の觀照及要求が雜多な變化を遂げ、それが歴史的に表出され基礎を定められてあるべき筈なのに、事實吾人は一列の材料の集積、反個々單獨の狹い限定された問題、國土或は時々に關する若干小さな簡略なモノ、グラフイーを有するに過ぎないのであつて、それが全部である。而かも之等僅少の材料さへも全然物の役に立つべくもない。といふのは其年中殆んど只の一つも近代の科學的見地から成されるやうな仕事（アルバイト）がないからである。

著者は本篇を以て此空隙の一部を充さうと欲する。が、全三卷に上る此著作も實は浩瀚なる性道徳史の微々たる一小部分に過ぎない事元より吾人の熟知する所であつて、眞に之を充さんとすれば、一大書庫を擁し許多の專問家が專心事に當つて初めて能くし得る所なのである。然るに斯かる專問の識者さへも方今未だ皆無の狀態で個々之有る小數の者も有ゆる文化現象の內的關係に對しては全で風馬牛だといふ有樣である。――

性道徳を敍する一風俗史中には前述の如く其最も高尚なものより低劣卑賤の極に到る迄悉く之を集むるのであるが、此種の風俗史は之が爲寧ろ風俗潰亂の歴史であると言はゞ言はれるのであつて、是は事の性質上萬事道儀的な事は大方叙述を要しないものとして遺却され何等か反道儀的の事象は之に反し常に叙述を要するものたり「筆に上る」が故である。

パラドックスを用ひて云へば性道德の歴史に於ては消極的方面が唯一の積極的記載になり勝だといふ事であつて、左顧右眄區々たる憂慮に迷はるゝ事無く苟くも風儀に關する有ゆる問題を携へて、事實と思惟せらるゝままに之を叙説し遺憾無く其の實相を究めんと企つる一風俗史は因より學齢兒童に讀まする娯樂本の類では無い。――そのやうな特質は決して眞面目な著作の名譽でも無いのである。

が斯の如きにも拘らず、余に取りても面白いと思はれた豐富な文書材料中一般に摘むるに適せないもの、換言すれば本書が刊行禁止禍を蒙むる惧あるもので而かも科學的文書（ドキユメント）として重要なるものは後日一括して別冊となし學者及蒐集家の爲補遺として是を提供しやうと思ふ。

伯林、ツエーレンドルフにて

エドウアルト・フックス

一九〇九年

緒　言

風俗史起草の最高問題は曾つて事物が如何あつたかを示すに在る。即ち往時の賦生的事實を組織的に接合して「過去」の現實を再構成するのである。從つて此際其過去が讀者の前に生々躍動し、塑像の如く立體的に、血の通つたものであればある程、それだけ立派に此問題が解決される譯で、これは當の仕事が風俗史總體に關する場合にも又は此著に於けるが如く其一分區たる性道德のみを取扱ふ場合にも敢て變りが無い事勿論であり、本篇に於ても第一に斯の如き樣式の過去の再構成を試みんとするのである。

さて、風俗史の記述が果して斯の如き成果を獲ることを主要問題に選ぶべきものとすれば、他面決して踏み外すべからざる方針は、固定した道儀的規準を過去に對して適用しないことである。研究者が其探究の途上際會する第一の結果は、歴史に於ては、永久に適用すべき道儀的規準で無く、反對に、其常に改造されつゝあるを見るといふ認識に他ならない。

從つて道儀的であるとか不行跡であるとかいふことは只相關係的に云爲し得るに過ぎず、絶對の不道儀呼はりは少くとも社會の社會的衝動（ソチアーレトリーベ）に背反撞着する場合假令ば反自然とかいふが如き衝突の場合に關してのみ僅かに言ふを得べきかである。時間空間内に跼蹐する吾人の行動を時處を絕して規定する風儀の法則は元より存じやう筈が無い。さて一歩を進めて若し此見解が道德の總錯綜に就いて當篏むべしとせば特に性道德と限る場合は尙更第一に之を適用すべきものと言はねばならぬ。如何となれば這の性道德こそは一般道德律中に在りても最も變り易き部分に屬し而かも但に最も容易に變轉し得べき性質のものたるのみならず事實に於て最も頻繁に轉換するものであるからである。が、第二に研究者の認識に上る所のものは斯の如き一般風儀的觀照の不斷の變轉が常に一定法律の支配下に置かれるといふ事である。從つて此二つの點から推論して行くと、當然各時代は別個の道儀的規準を要するといふ結論が生れる。されば今日の規準を以て過去を論評するが如きは眞に兒戲に類することで、固結凝定せるものを以て流動して止まざるものを測る愚人の所爲に他ならないのに、如何にせん今日の學界に於てさへ斯の如き非歷史的考察を敢てする頑迷な頭顱輩が依然として多數を占めてゐるのである。

此他なほ此處に注意すべきは彼の「人間の本然に根差し」時處を超越した「普通的な道儀の規

準」に卽する人々であるが、彼等は只勝手に賞揚し勝手に誹毀して居れば好いのであつて其埒を超えて事物或は人物の歷史的解釋に容喙する事は斷じて容されない。若し過去の現象――吾人の場合に於ては風儀の狀態――を正しく、卽ち科學的に望見せんとならば永久に變化せざる道儀の觀念を拒否する事は絕對的の前提であらねばならぬ。

が、普遍的に適用すべき道儀的規準を拒否するといふことは歷史に於ける道儀の原動力を拒否する事とは全然別個の問題で後者の作用は何よりも先づ無制限に之を認める事が出來る。是は說明する迄も無く解り切つた事のやうであるが、今決して等閑に附する事が出來ず、殊更聲を大にして是を叫ばなければならないといふのは、人民は得て歷史の中に常に永久の風儀的法則の働きを見んと欲して初終中後者を前者と誤認し、而かも論理からでは無く輕忽からして道の錯誤を起すが故である。なほ道の歷史的事物に對し吾人の取つた態度からして、是はまた再々之を演じた彼のアポロゲチーク（基督の眞理辯護說）の如きは言はずもがな、得たり賢しく早速過去の有ゆる現象に對する歷史的辯解を誘導することも亦特に喋々を要しない。併しながら凡ての人類階級民族有ゆる時代に對する永久の世界的法則として不變の道儀的觀念を抽象する事は、是を可能ならしむるに缺くべからざる前提、即ち事物――「善と惡と」を其史的條件の下に認めるといふ前提あつて初めて成り立つ方法に過ぎない。而して若し此範疇的「マスト」を見出したにしても其結論に達するは未だ遠してある。如何となれば其は夫々の狀態に於ける歷史的必然に應じて行はれたに相違無いから從つて此當該「史的必然」も亦歷史の判斷に先たちて筋道を立てられねばならないことなのである。卑近な比喩を藉りて言へば殺人者も、若し人ありて彼の行爲を其各般の關係の下に理解するならば未だ解かれざる事の如何に多くして罪せらるゝを知るであらう。さもあらばあれ這の歷史觀察こそは別個の而かも實に意義深き或もの、即ち事物に對する科學的觀察の最後の根底、換言すれば歷史の一高等論理に導入するものである。

過去を探究して其歷史を草する事、即ち什麼事が有つたか、什麼事が有るか及、有つた」から「有る」に通ずる結合の組織を順序正しく解き明かす事は多數人が史學の目的を解剖して言ふが如く決して彼の好奇心の滿足――假令其は「最も高尙な好奇心」であつても其滿足を買ふの歎ひのみに資すべきものでは無くして、第一に凡てその出來事の是に從ふ法則の認識を目的とするものである。如何となれば事物の正確なる闡明のみが能く吾人をして歷史を從前よりも佳良ならしめ得るからで、是實に最も大事な精隨ともいふべき事柄であつて、行爲をして實を結ばしめ現在及將來に影響せんとする眞面目な科學の第一の目的であり最後の目的である。意識的に其歴史を作らんとする人類の最高問題は玆に其道を刈り開かれる。此事は決して形體無き架空の美辭では無く、實に最も豐富な內容に賦與する方式であつて、人類が意識的に其歴史を形成する狀態に之を導くといふ事は畢竟彼等が其最高理想の示す發展の高嶺に向ひ確實に且步度を早めて進ましめるといふ事に他ならない。

×

事物に對する吾人の歴史的觀察から發足して、世の道儀的規準なるものは不斷に轉換し、從つて「何が道儀的であるか」といふ疑問に對しては常に相異つた判斷を聞くといふ認識に達するとせば風俗史の解決すべき諸問題中第一の要件として二個の課題が生ずる。二個の課題とは、一は風儀の外貌、換言すれば時代を支配する道儀的觀照と人々の一般社會的生活との關係を探究確認する事であり、其二は、有ゆる風儀上の出來事の之に從ふ、彼の法規の面紗を取り去る事である。

各時代の風儀的觀照の印銘し形を變ずる諸要素は是を看破せねばならぬ。

「過去」の正確にして塑像的なる再構成は單なる——卽ち秩序無き事實の集積を以てしては決して充されるものではない。否寧ろ上述の如き再構成にあらざる限り價値ある事實の集積といふものは有り得ないとさへ言ふことが出來る。如何となれば個々の事實の價値なるものはどれだけ著しく當時の原則を反映してゐるかといふことを以てのみ計量されるからで從つて一歩を進めて科學的硏究の嚴密な檢察を經來つた夫等の事實は悉く、由つて以て夫等の生じたる法則をあらはす歷史的條件と內部に於て結び付いてゐる筈だと言ふ事が出來る。而して他面此法則を知悉する時は單一の事實が恰かも一列の事實の群りであるかの如く個々の事實に特異な再構成的價値を賦與する事となるのである。事實を次々と勝手に並べたゞけでは、假令其個々が單獨に見て尙且甚興味あり。珍奇なるものであつても、決して正しい畫面を示すものではない。況んや「過去」の塑像にならない事は言ふ迄も無く丁度幾千の名彫刻を施した石材の堆が想像で以て易々立派な一建造物に組立て難きが如く、又數多の車輪や槓杆や車軸やが一臺の機械とはならないやうなもので——其建造物たり機械たるが爲には其特殊な形狀と位置とを定むる法則に從つて之を選擇し之を排列し相互を有機的に結合しなければならないのである。

從つて只面白い歷史本では無く、苟くも整備した風俗史を成さうとする限り、必ずや是等內的關係の敍述及智つて人類の風儀の外貌を蒙り或は轉覆した諸要素の選定を主眼とせねばならないのであつて、さればこそ吾人は此一文を卷頭に掲げて緒言とし、一は以て確乎たる本著の立場を明かにし、他面同時に讀者に取つて缺くべからずと考へらるゝ全卷を通じての階梯となす所以である。で、尙此處に附言せざるべからざる事は、本著全體の計畫が元々理論的解剖を試みやうとするのでは無く想像的事實描寫を主要目的とするのであるから、此方針に從ひ、斯の如き論說は眞に重要なる大綱に限られねばならないのであり、又然うしたつもりで僅かに簡單な輪廓を上下してゐるのである。而已ならず吾人は此領域に於ける理論的な歷史の觀方が、彼の今尙ほ凝つて動かない尨大な諸懸案を解決し得る力ありと自負するものではない。それどころか吾人の所論は甚プリミチーブな樣式のものであるかも知れぬといふ事は須臾も蔽ひ匿さうとしない所であつて希くは僅かに硏究の道標であり燈光仄かな方向指示板たれば足るのである。

×

なほ此處に考へなければならないのは、據つて以て雜多な時代に於ける個々民族階級並に民族圖の道儀的外貌を塑像的に再構成するといふ目下の懸案を解決すべき外面的補助材料のことである。

言ふ迄も無く此問題を充たさんとするには勢ひ先づ同時代人の文書(ウルクンデン)に立脚しなければならないのであつて、從つて出來るだけ廣く是を轉用する必要が生ずる。時人の文書には、一方に於て有ゆる樣式の時人の文學があり、他方人物事物並に事件等に關する其繪畫的記述がある。さうして時代が其やうな仕方、自身の方言、自ら造つた比喩で、而かも出來るだけ屢々、出來るだけ悉しく自らを語る時其時のみ、過去が實際の生命に目醒され、息を吹き返す。さうして其生々躍動の世界たるや但に吾人自身其中に立混つて居るかと思はる、のみならす、吾人の歴史、觀察法に據つて恰かも壇上より其總體を見渡すやうに個々の諸像と併せて常に全局に對する其關係も一目瞭然するのである。

されは兩樣の文書に對して第一に起る問題は、何等か其時代及種々の階級の風儀的觀照を特性的に描出したもの、其把握し得べき見證たるものは悉く之を寄せ集める事である。文學方面では有ゆる種類の報道、指令、禁令、風儀取締規定、風習の描寫、遊戲と祭典、並に各時代の藝術家の文藝的產物も亦輕々に附すべからざるもので、詩歌、笑談、物語り、演劇――勿論宗教上のものであらうと冒瀆的性質のものであらうと構はないので――等があり、之等の文書を單獨に放置せずして、事毎に寄せ集め以て同一描寫を支持せしめ是を深め是に傍線を施すのである。

同一の事が時人繪畫的記述に就いても適用される。而かも吾人に取りて時人の繪畫は歷史起草の補助材料として其意義文學的文書に劣らないのみならず、種々の點に於て後者を凌駕してゐるかに思はれる。吾人は繪畫に於てこそ最も重要なものを見る。といふのは、這は、實際想像的に過去を再現せんがためには最も信賴すべき補助材料だからで、加之も時人の繪畫は同時に又文學的記述に對する唯一最良の統制（コントロル）材料である。最も明瞭にして簡潔な歷史の源泉は繪畫である。此事は次の引例を見ば直ちに首肯し得られるであらう。例せば假に簡單極まる流行型を表現する事ありても言語を以て讀者の想像に訴へ絕對に間違の無い畫像を結ばしめるといふ事は如何に厄介な、如何に復雜した仕事であらう。實際行つて見たならば其結果は恐らく必ず各人相異つた觀念を構成することを直ちに證據立てるであらう。

混み入つた流行に於ては描寫が一層復雜に、秀でた叙述と才能を有する者であつても能く及ばざる事疑を容れない。這は有ゆる他の現象、例へば旅宿生活、祭典、相愛の狀、一言に盡せば有ゆる事象に適用される。然るに何といふ相違ぞ、一旦繪畫を以て是に換へる時は目的の事實を直截且遺漏無く、塑像的に、氣分の影響を受付けない明瞭さを以て直ちに再現し得られるのである。が、畫註の價値は是のみにとゞまらない。著者が一層其描出に感謝の念を覺えるのも之が爲で、即ち繪畫には尙遙かに重要なる特性があるのである。即ち時代の繪畫的創造物は孰れも皆之に對して熟慮省察する觀者に取りて數へ盡されない聯想を起させ、時に或は著者自身さへも考へ及ばなかつた事柄、或は著者が當該對照物に就いて凡てを記述するも又は概觀透視的に省筆するも効果に於て同一だと考へて敢て記さなかつた事柄に迄も及ぶのである。幾百葉の繪畫一つ〳〵は其描かれた時代の繪畫中の一葉、單獨なる一葉の現はれであるといふ以上に其各々がそれ自身全的世界、記された事象の全錯綜に跨るのであつて、從つて一葉の繪畫よく一篇の風俗史たる事を珍しからず、之を見る者不斷に新しい見解を其處から讀取る事が出來るのであつて斯の如く繪畫は事象を甚明瞭ならしむる特色に加ふるに滾々として盡きざる豐富さを持つてゐるのである
此事實よりして引いては這の事物及其外的現象の狀態が曾つて如何にといふ事を示すを最高課

題とする風俗史は、單に正しい出來得る限り誤謬無き觀照に達する稿梁として時人の繪畫的材料を要するといふに止らず、繪畫より手を退く事は到底許容すべからざる事だといふ斷案が下される。少くとも著者は凡ての重要な着眼點は證するに繪畫を以てしなければならなかつた。是即ち文學的記述と併せて時人の繪畫的記述を多分に使用した所以であつて多分に書籍の挿繪、分離の諸片、像行習俗を表はせるもの、藝術品、尙繪畫、科學的、圖案家的記述並に主として風俗繪を引用した次第である。

上述の如く主として風俗繪、――風儀を描寫した繪畫をである。要愼深い人々は有ゆる時代に於て時人の繪畫的文書に對し、事風儀を描寫せるものに關する限り「當時の風儀の證左としては常に絶大な制限を加へて適用せねばならない。何故なら古往今來積極的にも消極的にもペンを以てせると畫筆を以てせるとに論無く、孰れも同樣酷しく誇大したものであるから」と抗論して居るのであるが、斯くの如きにも拘らず、本篇に於て風俗繪は主役を勤めるのであり、勤めねばならないのである。而して吾人が敢て此事を述べずに居られない所以は據つて以て最もよく吾人の立脚地を確定する願つても無い好機であるからである。論者はなほ進んで風俗畫家が彼等の時代に就いて製作した是等の繪畫は第一に、月並の生活を記載する事最も少く、度外れのものであればある程描く事甚熱心であるが故に信を措き難しと云ふ、這般の抗議は疑も無く其通りで、文學に對しても繪畫に於けると等しく適用される。

併しながら吾人は、曾て吾人が歴史起草に對する戯畫（カリカツール）の意義を爾（しか）云つた一語「眞理の中庸に在らずして反つて極端に在る」といふを引用して是に對抗する者である。即ち當該事物或は人物の眞相は極端に奔るに從つて明白となるもので、從つて積極にしろ消極にしろ誇大するといふことは不利どころか反つて有利であり、現に論じつゝある時人のドキユメントが特に價値ある分子であると見るのも畢竟是がためである。

斯う論じて來ると、今や本著に對し或程度迄戯畫に關して言及する責任が生ずる。――或程度即ち戯畫に許さるべき程度――といふのは、戯畫こそは前述の傾向を言はゞ其原理に於て具體化したものであるからである。が、讀者に對し此際特に注意を促がして置く事は道の諷刺的精神の所産を判斷するに際し瞬時も彼の戯畫に對して故意に酷しき制肘を加へんと欲し、「美しく且善良なる昔の時代に在りては風儀の狀態は無論同時代の道德家や諷刺家が好んでその畫面に描き表はしたやうにひどく頽廢したものではなかつた」と言ふよりほか氣の利いた詞を知らない八方美人の思慮深い空詞に迷はされてはならぬといふことである。是等の連中がよく附け加へて言ひ度がるのは「斯かる繪畫が甚しく誇張されてゐる事は疑ふ餘地無く、從つて這は實際生活の證左となるよりは寧ろ彼の、就中第十四、十五、十六世紀に行はれた惡洒落趣味の證左である云々」で、其客觀的な見方、公平に秤量した判斷は如何にも嚮が好いではないか。が、遺憾ながら吾人は之に抗して、斯の如き萬人向の立場は之等善男善女が戲畫の本質、其何を描き且何を表現せんと努むるかに就いて完全に無智だいといふことを詳々に暴露してゐる點でのみ意味が有ると申上げる他は無いのである。

戲畫の本質は確かに誇張である。差當り最もクラシツクな一例を擧ぐれば、反性共の寺院開基祭は、確かに、例へばルーベンスが其立派な畫面「無禮講」、ダス・フレーミツシエ・フエスト――ルーヴル博物館藏）――是實に史上に殘された最も大膽な戲畫の一つであるが――に爾く眼に見る如く書き表はした放埒泥醉、大がゝりな愛慾の亂痴氣騷ぎ（挿畫參照）の形を取つて庶民の遊樂を恣にしたものでは決してなかつたに相違無い。がそれにも拘らず眞相を含有することは斯の如き作品に於て最も大である。而かもそれは誇張があるにも拘らずといふのではなくして誇張故にこそ然うなのである。誇張によりて事物の核心は外殼を剝がれ、人を迷はす畫像の薇衣(ドラペリー)は取除かれる。その主成部分の量的及質的推積を敢てする結果、眼は明に根本法則を看るのであつて、玆に初めて眞相が見える。看落す事も眼を向けずして通り過ぎる事も出來得ない程强烈に目に附く最も鈍い眼光も單り旋轉してゐるものゝ何であるかを認識し、遲鈍極まる頭も事物の內的秘密を解する。而して之等凡てを成し終せるものは極端である。此故にこそ吾人は中庸よりも寧ろ極端に於て眞理を見出すといふのである。何れの時代にも人は事物の核心を剝かんと欲した。而して各時代は上述の方法を以て之を剝き出した。何れも自ら道の學說を建つるに先立ちてまづ其結論を適用した。如上と同樣のことは文學上の諷刺に就いても言ふ事が出來る。――此に於てか言語又は繪畫を以てせるカリカツールは風俗史上に於て如何なる事情の下にも常に卓越した位置を占めるのである。

さて、吾人が此處に時人の殘せる文書に關して述べた事を其全的意義に於て尊重する時、も一つ他の結論に達する。それは斯うだ。卽ち各時代は其風俗史を旣に自ら書いてゐるといふ事で。

彼等はそれを千様萬態創造的な有ゆる形式を用ゐて書いた。されば其等時代が宗教的な衣服を纒うて歩き廻らうと、或は放逸な生の歡びを着飾つて居やうと一向構ふ事では無い。其中に匿れて動くものは常に彼等卽ち時代である。從つて吾等の爲すべきことは只各時代が其歷史を造り變ふるに用ゐた象形文字を正しく解讀することである。さうして吾人は今此處に其解釋の役目を勤めやうと思ふのである。

□

最後に、緒言及第一章の挿繪につき一言附記して豫め讀者に告げ以て此項を終らうと思ふ。緒言及理論的な第一章の挿繪は其一々が本文と直接の關係を持つてゐるのではない。寧ろ其目的は本著に於て章節を分つて叙說せんとする凡ての對象、凡ての頁を此紙面に於て先づ特色づけ書面を以て說明せんと試みたのである。從つて突込んだ解明、換言すれば註釋としての轉用は個々の繪畫を後段當該章節に分つて挿入れた。たゞ本書の歷史的區分の統一を破らないため之等の繪畫は悉く第一卷所載の時代及領土內のものから採つた。

女陰崇拜考

本稿はウォール氏の Sex and Sex Worship (Phallic Worship) の一節を譯したもので、性崇拜の著書としては、今の所、世界で一番な文献であらう。次號は同書中の男根崇拜の一節を譯し、以下順を追ふて毎號必ず續けたいつもり。

女子の外陰部卽ち陰門(第一圖參照)は、印度では『ヨニ』と呼ばれる。東洋の諸宗敎に於ける女陰の崇拜は、今日に於てもなかなか盛んに且つ行はれ、女陰の崇拜者は『ヨニシタス』と一と口に呼ばれてゐるほどである。以下、私は女陰の文學を避けて『ヨニ』と書き記ることゝしよう。

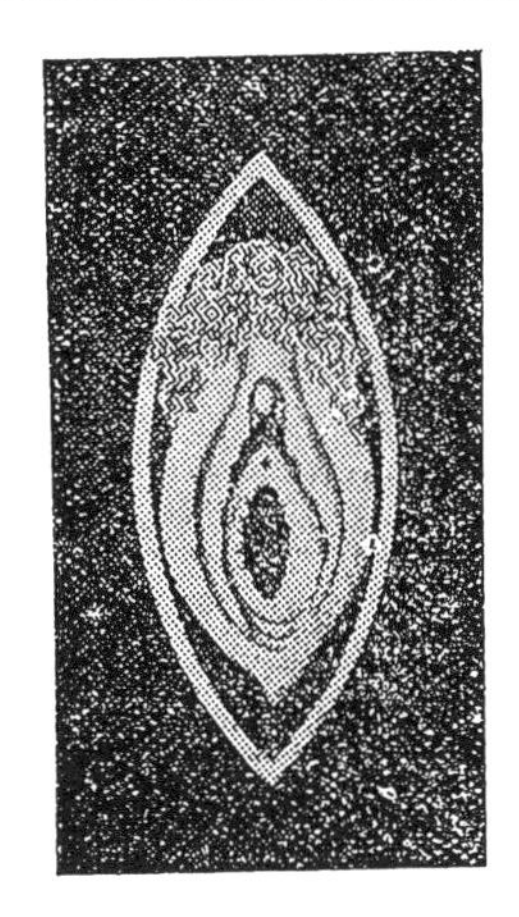

第一圖　陰門とそのシンボルなる兩尖楕圓形

第二圖　トロイの遺墟で發見した土偶。三角形の中のXに注意

『ヨニ』は梵語であつて、陰門子宮物々の起原等の意味を持つ、詰まり自然界に於ける女性的活力の意である。神は世の中を創造せんとして自分自體を二つに分かち給ふた。梵覽摩（ブラーマ）と自然界（ネエチユア）とが夫である。梵覽摩からは凡ての男性が創られ、自然界からは凡ての女性が造られたそして女性の方が天地萬物間に於ける眞實の力であつて、最も崇拜に價するものとされてゐる。

私は最初先づ生産力即ち創造力、及び『ヨニ』を具象化した象徴（シムボル）について話さう。此繪（第二圖）は、ジヨリイマン氏がトロイの古郷の遺跡から發掘した偶像の寫眞である。恐らく四千年以前のものであらう。圖中の中程の三角形の部分を注意し

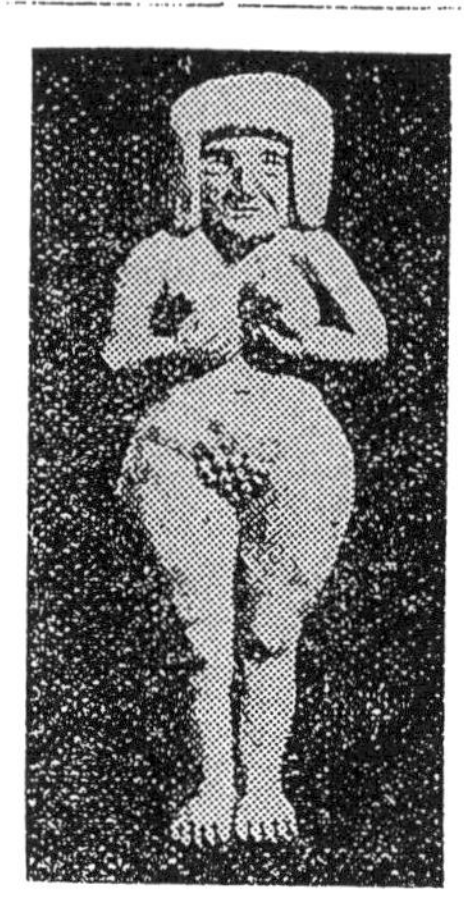

第三圖　インシュアの女神
英國博物館藏

第四圖　ネトペの女神

て戴きたい。そして三角形を見落さないやうに……。此寫眞をインシュタアの一つ（第三圖）と比較してみるとよくわかるが、陰毛の表現方法は全く同一で粒々の玉を集めた樣になつてゐる。之は原始時代の陰毛表現に共通した特徴である。

同じ樣な繪は、南歐往時の原始的の穴居人種ドロゲロダイトの遺した彫刻の中にも屢々發見される。この人種は少くとも三千年以前に住んでゐたものとされてゐる。

男性が、その妻の生殖器を最も神聖な且つ獨占的な所有物として大切にする如く、生殖を意味する女性の三角形は、人生に於て最も神聖であり、純潔であり、貞節であり、且つ眞實であるものと

第五圖　女性の物を持てる埃及の女神

して『神聖』そのものゝ象徴とされた。この意味に於て、埃及の古い宮殿から發見される女神の多くの像は何れもこの三角形を持つてゐる。例へば第四圖のネトペの女神の像が夫である。この三角形は時として女性の神聖な標勿即ち横向きの乳房となつて現はれることもあるが、この例は寺院の彫刻の中に發見されてゐる。（第五圖）

此三角形はまた、諾斯士教徒（グノイスチツク）及び古代の基督教徒時代には文字の魔除けとして用ひられた。其うちで、最もよく知られてゐるのはアブラカダブラ（ABRACADABRA）と云ふもので、この語原は Ab, Ben, Ruach ACADosoch の花文字の分をとつて綴つたもので、ヘブライ語で『父な

ABRACADABRA
ABRACADABR
ABRACADAB
ABRACADA
ABRACAD
ABRACA
ABRAC
ABRA
ABR
AB
A

ABRACADABRA
BRACADABR
RACADAB
ACADA
CAD
A

第六圖

る神、子なる神及び聖靈』と云ふ意味になるさうである。(第六圖參照)メダルに之を彫つて置くと病魔と不幸とを除けるトテも靈かな魔除けになると信じられてゐる。第六圖の樣な配列は言ふまでも無く女性の三角形に象られたものである。

三角形の下部に割れ目を持つた三角形の思ひつきは、此處に說明する迄もなく女陰崇拜の寺々にある祭壇の上に、兩脚を投け出して座はつて御座る裸婦像のそれから來たものである。東洋に於ては婦人が閨房のつとめをする時には、陰部の毛を剃つたり、拔いたり、或は除毛劑を用ひたりして恥部を素ツ裸にするのを禮としてゐるから、さてこそ下部の割れ目が判然するのである。或は又發

第七圖　處女の陰部の模型。豐饒のしるし

毛しない處女のそれからの思ひつきなりとする説もある。

春情發動機になると、少女のお臀は膨れおちちは大きくなり、そして陰毛が生えかゝつて來る。此の陰毛を引つこ拔いて仕舞ふ、東洋人とは違つて、西洋人は、之を生えるが儘に生長せしめ、そしてそれを豐滿な肉體とよく調和する美くしいものと考へる。

埃及の或る壁畫に、透明な衣服を着けた一婦人の像があるが、これを見ると明かに三角部に陰毛を生やしてゐる。そして傳へられる處によると埃及の婦人は、此部分に香水を撒いて特に魅力あらしめることに苦心したと言ふことである。昔の埃

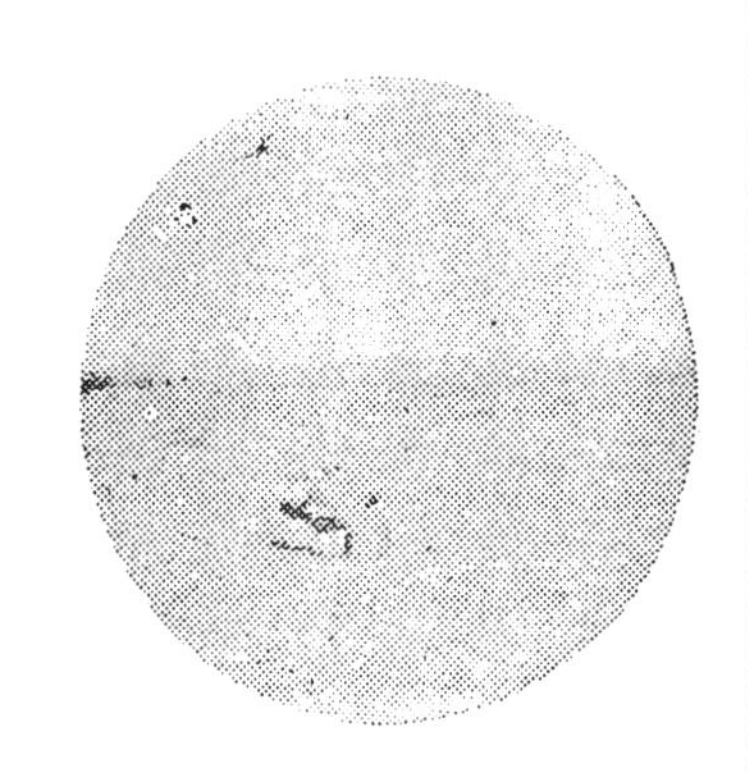

第八圖.メキシコの畑に於ける豐饒の標示。

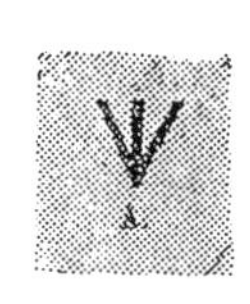

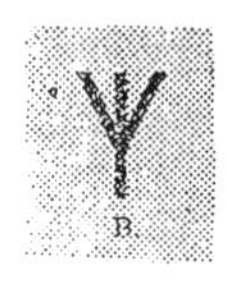

第九圖
第十圖

及人や、猶太人は陰毛がつよ〲しく生えてゐればゐるほと、その陰部は立派な魅力に富んだもと考へた。乃でエゼキエルは聖地エルサレムを若き花嫁に譬へて恁麼ことを言つてゐる。

『汝は今や比ひなき裝飾物(オーナメント)となりぬ汝の胸はふくよかとなり、汝の毛は豐で裸かなりし處に生ひ揃ひぬ……』

(註、エルサレムが聖地となつたお蔭で、荒野から立派な町になつたと云ふ意を述べたもの。)

吾々男は普通、女性の此陰毛と云ふものを好むものらしい。そしてその縮れ毛をいぢくりまはして喜び、之を小猫(プッシー)と呼んで戯れたりしてゐる。

婦人は一體性的抱擁については、男性よりも多

第十一圖　ヴエナス像
（羅馬に現存）

第十二圖　シストラムを持てるアイシス

少に拘らず感受性が鈍いものである。乃で大ていの場合、女を性的歡喜の境地に惹き入れるには、例の部分を手で擦つたり、或は又唇で愛撫したりすることが必要なのである。男性が最も普通に行ふ處の愛撫は、乳房をいぢることを陰毛の小さい渦きで『ヨニ』を擽ぐる事である。

東方諸國に於ては、聖書に書かれてある如く、『ヨニ』を『子宮の門』（陰門）と呼んでゐる。唯今述べた愛撫のことについて、『ソロモン』の歌の中に花嫁は、次の春に愛人との添寢のことを歌つてゐる。

『わたしの愛人は、彼の手をわたしの門の口に挿しこんだ。そしたらわたしの腸は、彼の方へずる

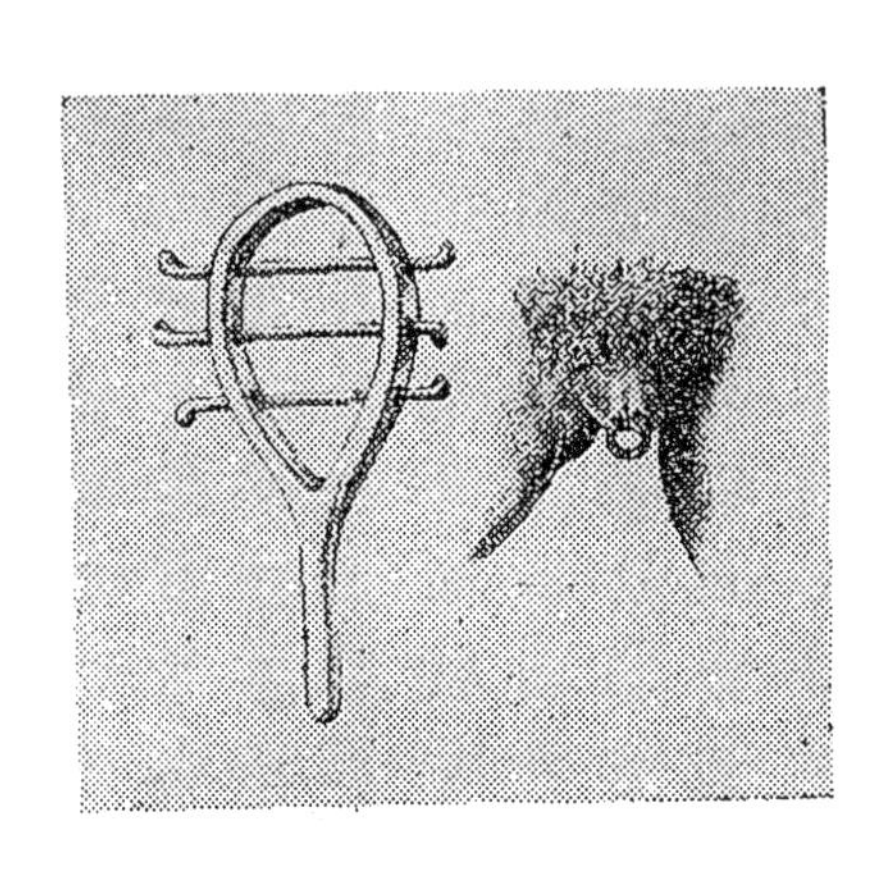

第十三圖　シストラムの起原とその意味

ずると引き寄せられる様な思ひがした……』

男が女の『ヨニ』をいぢつた時に、女の性感が佳境期の絶頂に達したのである。

素裸にされた若い女の陰阜は實にも美はしきものゝ限りである。第七圖は石膏で造つた處女の陰阜であるが何と魅力があるであらう！　陰阜の間のなだらかな稜角、兩股の間の股肉、それから兩つの陰唇の間に引かれた神秘的割れ目をよく注意して見るがいゝ。これは豊饒の標』とされてゐるが、同時に又純潔の象徴でもあるのである。

此處に一枚の寫眞（第八圖）があるが此處に見えるのは、此畑に蒔かれた種子の豊かな收獲とならんことを祈つて立てられた『豊饒の標識』であ

第十四圖　中世紀の貞操帶

つて、メキシコの畑に於ける一例である。此圖と全く同じ形の標しが全く同じ目的に用ゐられる例は他にもある。印度のヒンヅス人は第九圖のやうな標本を、又ニユーメキシコのヅニス人は第十圖のやうな標本を、何れも豐年の呪として用ゐてゐる。

現代の畫家や彫刻家は、その繪や彫刻に於て、陰毛に割れ目を些しも書かない然し昔の人々は、完全な女性を讃美して、陰毛や割れ目を具へた陰部を、極度に崇め、之を神にさへ祀つてゐるのである。前掲第三圖はイシユターの像であるが、之は昔のフオイニシヤ人（ツヤリの海岸地方に住める種族）が豐作の女神として祀つたものであつて

第十六圖　『貝の中のヴェナス』フイネリイ作

ベル（又はバアル）の娘に當たる女神である。陰毛の表現はトテも奇抜だが、前述の如く恁う云ふ表現はよくあるのである。この像の原像は象牙で作つた小さな像で、今は英國帝室博物館に保存されてゐる。

アフロデット即ちヴエナスの女神は、希臘人及羅馬人の間では肉體の愛及び色々な意味での愛の象徴とされてゐるが、この女神の像は、いかにも女らしい魅力を持つてゐる點で世人の注意を惹いてゐる。女らしい魅力とは何ぞや？曰く、豊かな乳房、羅馬語で言ふプーデンダム即ち陰部の限り無き美くしさ……が夫である。（第十一圖參照）

ヴエナスを祀る寺々には無數の男女が蝟集し、

第十七圖　埃及ギゼーの墓守の像

その神殿で交合の淫樂に浸り乍ら彼女を讃美するのである。ヴエナス（Venus）の名の第二格（所有格）はウエネリス（Veneris）である。そして最後のシラブル（綴り）を不定形で終らせたのが、"Veneratio" と云ふ文字で、この文から "Veneration" 又は "Veneratio" と云ふ字が出て來てゐる。ヴエネレエションと言ふ言葉は、昔は崇拜と云ふ意味に使はれたのであるが、今日では、唯單に崇拜すると云ふ意味に使はれる樣になつた。

然るに一方に於いては、女性の崇拜と云ふことが、實に種々雜多な形式の崇拜禮讃に變化したのである。これが反對の極端に走つたものは惡魔的所業となり惡虐無道な振舞となつてゐる。譬へば

第十八圖　ヨニのシムボルなる貝を持てる水の精

よく引き合ひに出されることであるが、舊約全書の一節でこんな處がある。即ちモーゼがイスライル人に向つて、敵國の男を鏖殺にせよと命じ、未だ生れざる男子も逃す勿れと命じ、『男と寢て男をしれる婦人を盡く殺せ』（民數紀略第三十一章第十七節）と告げてゐる場所がそれである。又同じ舊約全書の列王紀略（下）の中で、イスライルの王であるガデの子メナヘムが、テフサを撃つたときに、『その中の孕婦をことごとく剖剔』てしまつたと云ふことが書いてあるが、これもその一例である。（列王紀略下第十五章第十六節）

豫言者ホセアはサマリヤについて次のやうな呪ひを語つてゐる。

第十九圖　バリソンの姉妹

『サマリヤは軈て荒廢に歸するのであらう。サマリヤの子は碎けて粉となるであらう。（何西書第八章第六節）

此の様な行爲は、小亞細亞地方の人々の戰爭に伴つてよく見受ける現象である。昔と言はずつひ數年前、（と言つても歐洲大戰前であるが）。土耳共がアルメニア人を虐殺した時に、孕み女を捕へ來つてその子宮の中の胎兒が男であるか女であるかに賭をして、その賭を決める爲に後で女の腹を引き裂いて胎兒を引き出したと云ふことが傳へられてゐる。

シストラム（第十二圖參照）は、嘗て樂器の一種であると考へられてゐた。何故なら、埃及の古

第二十圖　マヤ、デヴアの女神像二體

い寺院では、宗教上の舞樂や儀式などの際に、がらくの一種として樂器と一緒に用ひたからである。然し是は本統は矢張錠を掛けた『ヨニ』の像であつて、詰まり處女の印しなのである。第十二圖は、マリアガイエスの純潔なる母である如く、ホールスの純潔なる母として知られてゐる女神アイシスの像であつて、手にせるシストラムも實に彼女の處女を徵象するものに外ならないのである。

此徵象の始原はスダン地方にも今日も殘つて習慣から容易に探り得るのであるが、この風習が遠きく昔から存したことは、明かなる實であらう。亞弗利加に於ては婦人は財産、即ち動産であ

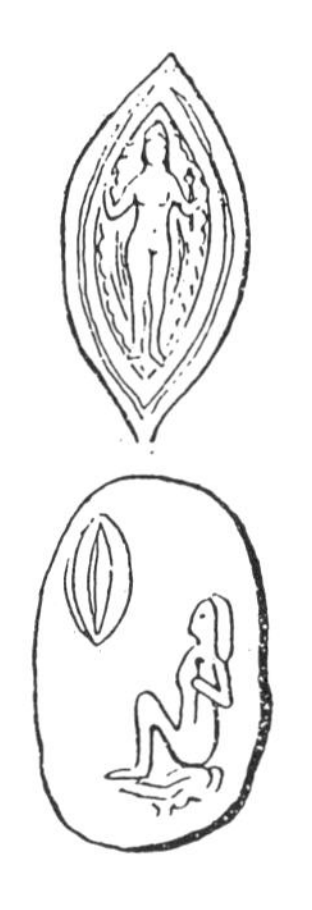

第二十一圖　上圖は生命の門。下圖はヨニの形し表はされた母アイシスの像を拝するホールス

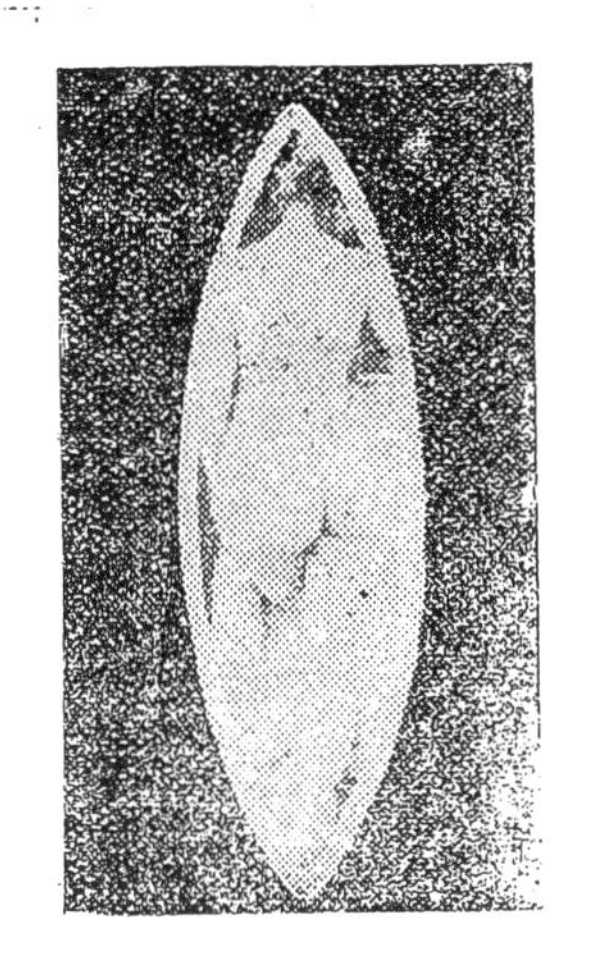

第二十二圖　婦人の褌圓形的輪廓

る。そして賣つたり買はれたりするのである。そして他の國に於けると同樣、處女は非常に珍重さるのである。從つて亞弗利加の或地方では、父親が娘の陰唇を鐵の輪で目釘する。（第十三圖參照）その鐵輪は娘が夫となる男に賣られる時まで殘つてゐるが、夫は女を迎へるや否やその鐵輪を鑢で切り取り、その代りに南京錠を篏め、その錠を開く鍵は彼だけ持つてゐる。

此れと同じ樣な處置が、比較的近代まで、我々自身の祖先の間に行はれてゐた。事實或る著者たちは、この貞操環が歐羅巴の原始的な社會に於て今日でもなほ用ひられてゐると言つてゐる。

中世紀の『貞操帶』は普通一般社會に用ゐられ

第二十三圖　聖なる胚胎
（一五二四年）

第二十五圖　復活のキリスト

たものであつて、その遺物は今日歐羅巴各地の博物館に多數存してゐる。（第十四圖參照）斯の樣な道具は、忍耐づよいグリセルデイス（ボツカチオやチョーサーの著書の中にあらはれる非常に貞節な婦人の名）の存在が可能であつた時代に於てのみ、用ひることが出來たのである。その時代と云ふのは『失樂園』の中でエヷがアダムに

『貴方の御命じになることなら、私は何でも爭はずに從ひませう。神はわたしにお告げになりました。『神はお前の法律であるぞ』と、そして貴方は私の法律です。この上智慧を增さぬことは却つて女の爲には幸福です。

と言つてゐる樣に、女性が男性に對して絕對的

第二十四圖　マリヤミエリザベスの會見

に服從するやうに數へられてゐた時代のことである。

これは基督教徒換言すれば、新約聖書の示す教義である。使徒ポウロがコロサイ人に送つた書翰（第二章第二十二節）には

『世の妻たちよ。汝等は神に仕ふる如くその夫に仕へよ。されば、教會が基督に屬する如く、世の妻人は凡てにつけて夫の意の如くあるべし……』

とあるのがそれである。

私は『ヨニ』と、子宮の象徴された事物にいりて、此處では餘り多くの紙數を費やすことを避けよう。昔の宗教が主として自然界に於ける現象の性的解說であつた如く、多くの自然物亦此等の宗

第二十六圖　生命の門に現はれし聖母マリヤ

教的理念を以て説明されたのである。（例を擧げるならば、希臘人及羅馬人にとつてオセアヌス（海洋）は父であり、ガエア又はテルラ（地）は母であり、河川は子供等であつた。洞穴や洞窟は子宮の、シムボルとなり。弓形のもの、洞穴や墓場への入り口などは『子宮への門』即ち『ヨニ』のシムボルとなつたのである。或スジアの寺院では低い場所即ち聽衆席は楕圓形であつたがこれは女性を象徴するもの、又會堂の尖塔は男性を象徴するものであつた。同様に凡ゆる種類の函や櫃――たとへば『契約の櫃』（十戒を刻せる二枚の石を納めし櫃）――の如きは女性を表はすものと考へられてゐた。

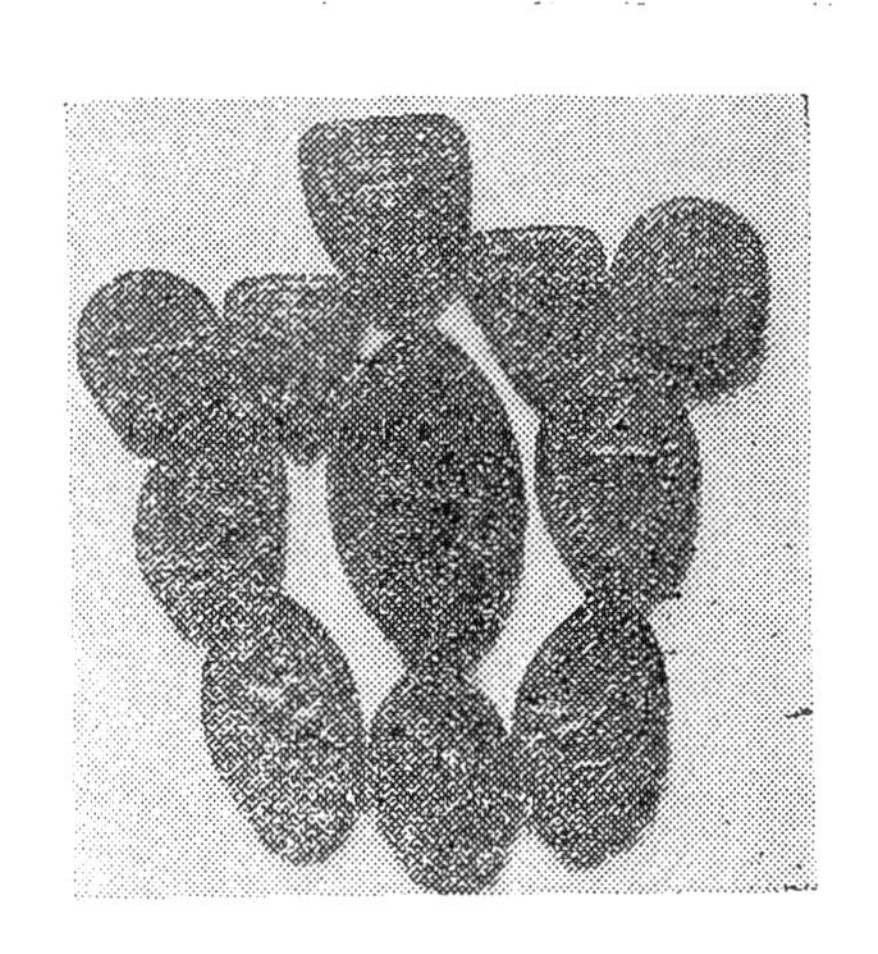

第二十七圖 中世紀のメダル、圓形は乳房三、角形は陰阜
卵形楕圓形はヨニをあらはす

多くの洞窟は、今日に於てもバガン地方のみならずキリスト教國に於ても神聖化されてゐるが、昔により一層の崇拜して之を祀つたものであつた例へば印度に於けるウムメルナース窟は『神聖なる牡牛』が崇拜されるので有名な巡禮場となつてゐる。この寺は非常に神聖な場所となつてゐるにも拘らず本尊の牡牛は非常に小さくて、漸く人間の膝の高さ位しかないのであるが、これは明かに瘤牛(ゼブバル)（印度特産の牛）を表はしてゐる。（第十五圖參照）

近代では洞窟が處女を表象してゐることがない例へばルールデスの如き處である。

教會の窓や壁龕などが處々にして『ヨニ』を暗

第二十八圖　英蘭リツチフイルド寺院の印符

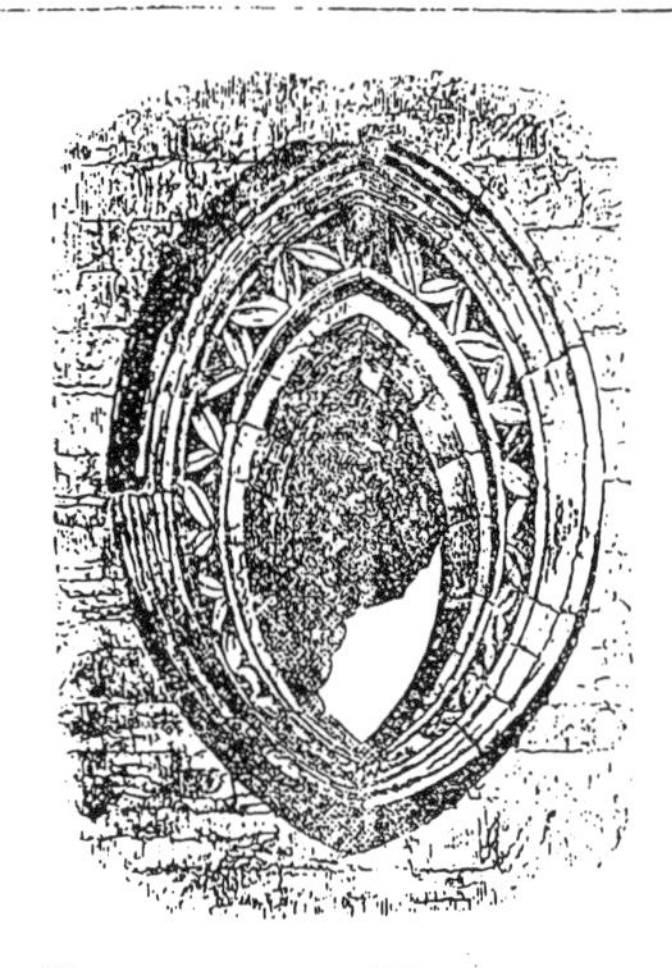

第二十九圖　ダムプレーシン修道院の窓

示する樣な形に造られることがある。そしてその凹には宗敎上の神像佛像などを安置してゐることが多い。

或宗敎では信心者が半圓形の穴、又は平たい石をくり拔いた『ヨニ』の形をした穴を潛る習慣があるが、これは『生れ代はる』と云ふ意味があるのであつて、罪ある者がその罪を淸めると云ふ意味である。

貝が『ヨニ』にシムボルとして使はれることは普通である。ヴエナスはよく貝と一緖に安置されるのを見受ける（第十六圖）此については貝が海から取れると云ふことから聯想を逞しうして、ヴエナスが海の泡から生れ出でたと云ふやうにコジ

第三十圖　グリツフインの像

第三十一圖　ヨニの神マハ、カリ

つけの說明をしてゐるものもある。然し乍ら此樣な說明の當て嵌らない貝の繪なり彫刻なりが、多くの藝術家によつて殘されてゐる。私は更に進んで、もう些し眞實らしい解說を試みて見よう。

ヴエナスが肉欲の女神である以上、ヴエナスと貝との關係を諒解することは決して困難事ではない。その貝は『ヨニ』の表象なのである。

私は此處に埃及の或墳墓の入口に彫刻されてあつた二人の猶人の繪を示さう。

此繪（第十七圖）に見える三角形は、其の在處から察して明かに、前に說明した三角形と同樣『ヨニ』のシンボルである。それと同じ樣な恰好で、同じ樣な場所に捧持された貝は、疑ひもなく『ヨ

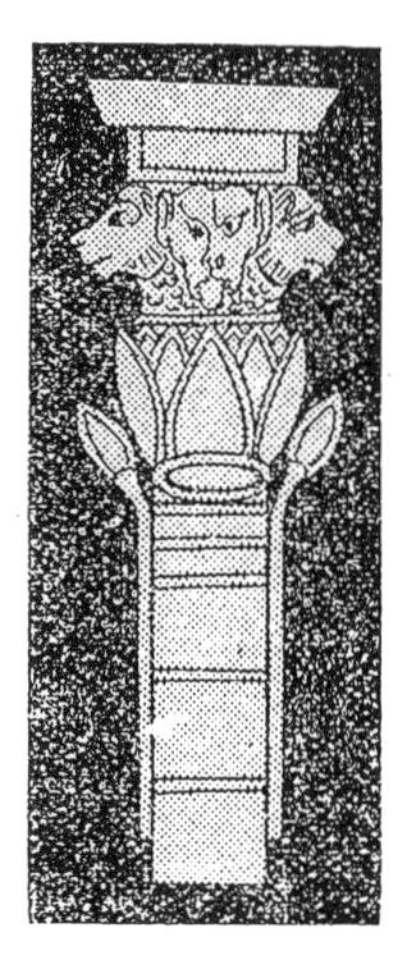

第三十二圖　埃及の寺院の妙な柱

ニ』のシボルでなければならぬ。第十八圖はエムーヌキユビウスの或寺院の奉納額に彫まれた水の精の像であるが、此繪を見れば一目瞭然である。

バリソンの姉妹が此國に來た時に、世界中で最も不良な少女として謳はれた。彼等は踊妓であり歌ひ手であつた。彼等が有名な歌と踊りとで騒がれた姿態を此處にお目にかけよう（第十九圖）この姉妹たちの歌と踊りとは『私の小猫を見て頂戴』と云ふ演題だつたのだ』何と諸君彼等が黒い小猫を持つたさまを見たら、小猫が何を意味するかわからぬ人は一人もあるまい。奉納額の貝が何を意味したかは、此を見ても餘りに明瞭な筈である。

羅馬人がお寺に參詣する時には、彼等は神なり

第三十三圖　埃及のフータ神

女神なりを拜む前に、先づ以て神前に、先づ以て神前の『聖水』の入つた洗盤に手を浸す習慣があつた。手を浸すと、その手に接吻してそれを神に向つて振つた。（謂り投げキッスの形である。）或は又神樣に接吻したり、神像の足に接吻したりした此禮拜方法はカトリックの教會では今日も尚行はれてゐる。聖水を用ひる方法、神聖な物及神像に接吻する方法と共に行はれてゐる。此聖水を盛る器はよく貝の形に造られ、又天使が貝を捧げてゐるやうな形の物もある。

第二十圖は兩方ともヒンヅウの女神マヤデヴア像であつて、二つの表現方法は多少異つてゐる。ヨニの神聖なる象は見方を注意して貰ひたい。右

第三十四圖　アラスカのトーテム柱

の方に上下兩端の尖つた楕圓形で殆ど寫實的に表現されてゐるし、左の方は更に象徴的なダイヤモンド型の菱形で表現されてゐる。

第二十一圖の中、上方の繪は、印度ボンベー廰內に在るジュンナー洞窟の中の古代の卒塔婆から發見した『生命の門』の細である。又下の方はホールスが自分のお母さんアイシスを禮拜してゐる圖であるが、此のお母さんは露骨にヨニ其物で表現されてゐる。(多くの繪では母が婉曲に菱形で表はされてゐる。)兎も角二つ共、『生命の門』卽ちヨニの表象であること丈は間違ひが無い。

近代の教會に於ては此等の形を("Vesica Piscis") 魚の膀胱)なりとして說明してゐる。しかし

第三十五圖　アヅテツクの頭部（キンギスボローより）

之は特に、キリストの像、マリヤの像又は其他の聖徒の像を包む楕圓形の背光を説明する場合にのみ限られてゐること勿論である。彼等は之を魚の形、又は魚の氣胞の形をとつたものであると言つてゐる。英語の魚(フイシユ)に相當する希臘語"Xois"は『Iesns Christ Son of God, the Savior』（イース・クリスト、神の子、救世主）に相當する希臘語の頭字を集めて造つたものである、と言ふ樣な説がある。乃でキリスト教では魚に關する藝術が發達したのだ、と云つてゐる。又一方印度の波羅門教では毗瑟孥(ウイシユヌ)（印度三神の一人にして維持を司る神）が世の救ふ爲に、魚に化身したと云ふやうな説もあるから茲に附記して置く。

第三十六圖　アヅテツクの蛇體禮拜圖

上下兩端の尖つた楕圓形はヨニを表はす爲に最もよく知られたシムボルである。快樂を得んとする場所又は便所等の殆ど凡てにはこの楕圓形が裝飾用に用ゐられたり、落書をされたりしてゐる。子供間が最初に書くことを覺え、そしてその何たるかを容易に諒解するのもこの形である。此形は然し、常に必然的にヨニのみを意味するわけでもない。或る時は唯單に婦人の象徵となることもある。何故ならば、骨盤と臀部とが充分に發達した姿のよい婦人の身體は、この楕圓形を是するからである。（第二十二圖參照）

昔の羅馬人の間では、貞操を輕んずる女、即ち娼婦は一と口に Cunnus と呼ばれたが、これは

第三十七圖　アヅデツリの石彫

今日我々の下層社會で"Cunt"と呼ばれるのと語原を等しくするものであつて墮落した女を"Skirt"（裾、しも）など呼ぶのと軌を一にする。

これと同樣に古代の宗教では、婦人の代表的な特質であるヨニを、全女性のシムボルとして用ゐてゐる。が古代に於ては、之を淫卑な女のシムボルとしては用ひずに、却つて道德堅固な婦人或は女神のシムボルとして用ゐた點は注意すべきである。此例は、前掲第二十一圖に於てポーレスが彼の母を禮拜してゐるのを見てもわかる。

此形は又應々にして子宮を意味することもあるそれは此處に示された『聖なる胚胎』の繪（第二十三圖）を見れば明瞭である。此繪は一五二四年

第三十八圖　サンドウイツチ島のマオリの窓

にベエニスで出版された『祝福された禱の念珠禱』と題する本から拔いたものであるが、此本は嘗て嚴しき糺門に遇ひ而も遂に正本と認めらるゝに至つたものである。

次は第二十四圖であるが、之は西暦一四〇〇年代に畫かれ現在コロンに在るもので中世紀に、祭壇の後ろに用ゐた衝立の中の繪である。圖はマリヤとエリサベスとが會つた所で天から飛んで來た天使が二人に向つて二人とも男の子を孕んでゐることを告げてゐる。此繪に於ても兩端の尖つた楕圓形は、陰門よりは寧ろ子宮を象徴してゐるのである母人エリザベスの子宮の中にゐる聖ジヨンがマリアの子宮の中にゐるイエスに對して膝まづい

第四十圖　壁紙の一つの模様

て禮拜してゐる處は、何と面白いではないか。
　イエスは言ふ『われは門なり、われは復活なり
われは生命なり』と。第二十五圖はラフアエルと
ペルギノとが合作して『復活の繪』であるが、此
中で、イエスは『永遠の生命』への門として畫か
れてゐる。しかしこの門たるや東方印度で言ふ
『生命の門』即ちヨニを表はしたものであること
は明かである。
　次の第二十六圖は、病魔が赤ん坊を奪ひ去らん
とする繪で、『生命の門』の中に姿を現はしたマ
リアに對して、赤ん坊の母が祈りを捧げてゐる所
である。此『生命の門』は何と寫實的でないか。
　此繪は西暦一五〇〇年代にニコロ、アルンノが制

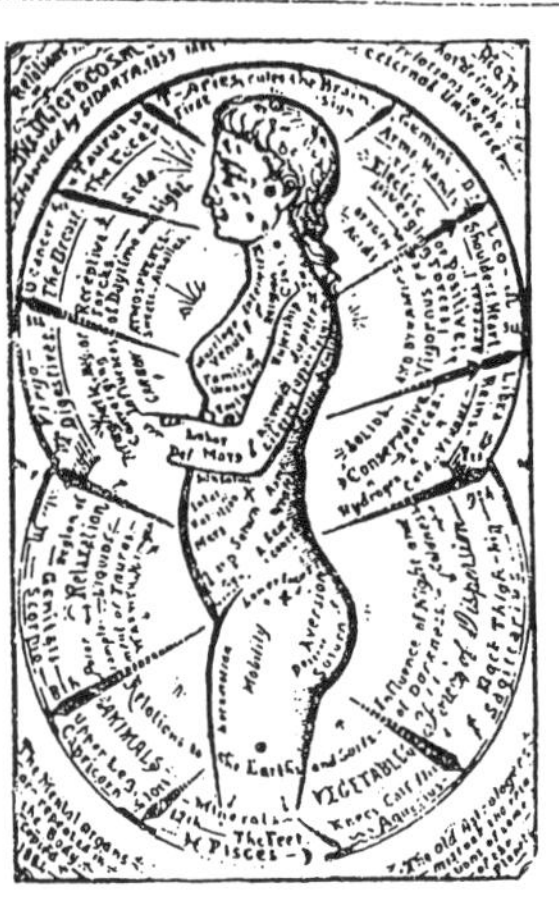

第四十一圖　シヴプタの『生命の本』より

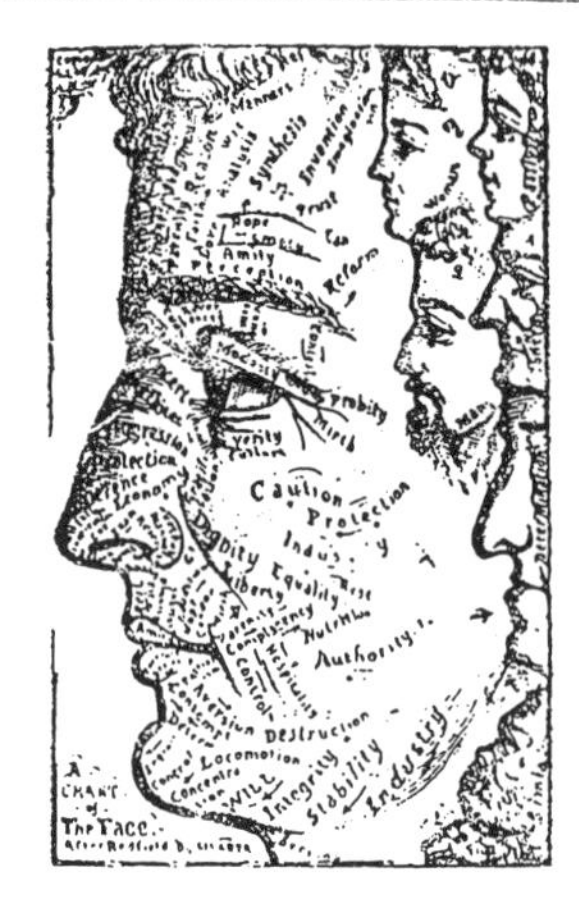

第四十二圖　シヴアタの『生命の本』より

作したものであると云ふ。

聖人や聖母等はよく『生命の門』の中に畫かれる。修道院や各宗派の本山等の印章、又は方々の寺々から出すメダル等の形も楕圓形のものが尠くない。私は恁ういふ印章類の押したものを澤山集めてゐるが、兩端の尖つた楕圓形及其變形、普通の楕圓形のものなどが、そのうちで最も多い。聖牌、護身符等で此形をしたものも尠くない。第二十八圖參照其他今日ソールト、レーク市に殘つてゐる昔のモルモン教の教會堂の平面圖は卵形である。又シエバの女王で知られたシエパの昔の寺々は孰れも平面圖が卵形であつた。イシユターの女神の德を頌した色々のものには、最も多く此形が

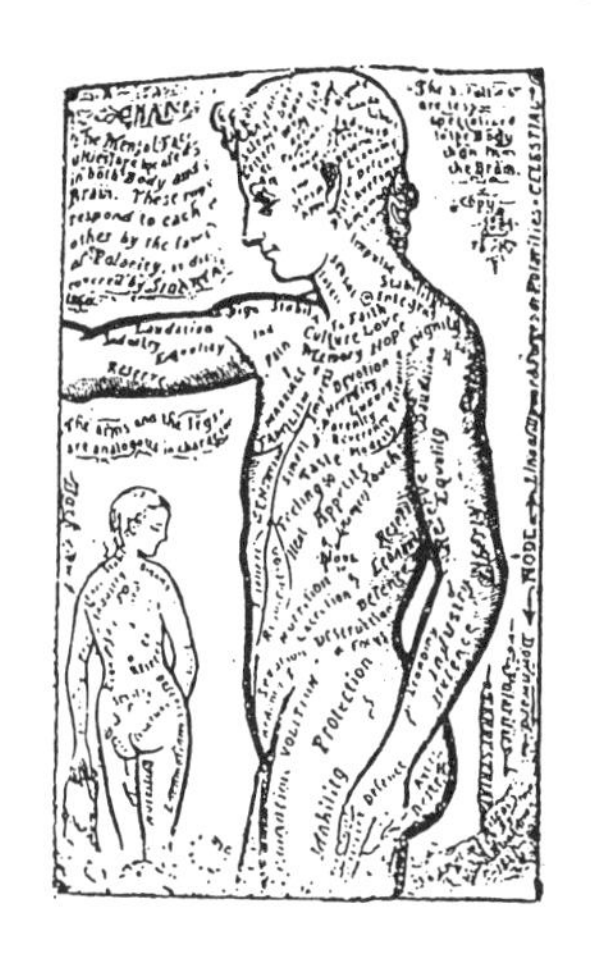

第四十三圖　ツヴアヌの『生命の本』より

採用されてゐる。（第二十七圖参照）

アラビヤの南方エーメンに於ては寺院の平面圖は悉く楕圓形であるが、此等は凡てイシュターを祭りその徳を領したものであらう。處で、楕圓形と卵形であるが、是はもとより同じ形の變形であつて、双方とも同じ考へを現はしたものである。エーメン（往時のサバ）には前記の如く多くの寺院があるが、さてこの寺々でどのやうな宗教が行はれたかは今以て明瞭とはなつてゐない。アスターは彼等の日の神で、シンは月の神であつたがアスターの母は太陽そのものであつたらしい。

ラスキンは嘗て此處に掲げたダムプレーンの修道院の窓（第二十九圖参照）を指摘して之は全英

蘭を通じて最も美麗なる窓であると激賞した。ところで之を第一圖の女陰の寫眞と比較して戴きたい。然すればこの窓が何を型どつたかは餘りにも明瞭である。それは正しく凡ての點に於てヨニである。大陰唇小陰唇、クリトリス前庭膣口凡ての部分が揃つてゐる。中世記の教會堂には正面玄關のアーチの要石に、全く寫實的なヨニを彫刻したものもあつたのである。

或時代には又、雌の駱駝か又は牝馬が死んだときに、その、ヨニが切り取られて、魔除けの爲に厩の戸口に釘付けにされたことがあつた。又同じことが幸運を呼ぶ爲に行つたこともあつた。後には成るべく卑猥に亘らぬ樣又更に婉曲に其の意を現す爲に、ヨニの代りに馬蹄を用ひるやうになつた。

之と同じ樣な動機からヨニのシンボルが一般の家に用ひられたり教會堂の建築に採用されたりしたのであるが、これは前述のダムプレーン修道院の例で今諒解した通りである。さて私は次にヒンヅーのダイヤモンド形即ち菱形のヨニのシムボルを話題に供する。これは第二十圖でマヤヂデウア(女神)の股間に示されたのを我々は見たのであるが、今日のスレート屋根は此形の應用である。殊に內側の方のスレートを赤く染めたのは、ヨニの陰唇の中にある薄紅い粘膜を更に一層寫實的に表現したものではあるまいか。此樣な屋根は、私の部分的な計算を基礎としても、此セントルイスの町だけで優に十萬は發見することが出來るのである。

さて我々は次に女性崇拜の稍異つた方面を調べて見ることゝしよう。普遍的な習慣でなくても先づ大局に自を注いで調べて見やう。それは外でもない。情熱的な男が自分の交接の相手となつてゐる女を唇や舌で愛撫すると云ふことに關してゞある。此樣な唇を用ゐる愛撫の仕方は動物に於ては極めて普通なことであつて、例へば牛が仔牛を甜めづりまはつてゐることはよく見る處である。エスキモーは、年柄年中寒氣の嚴しい處に住んでゐて、湯浴みをすることも身體を洗ふことも出來ないので、母親が、恰度親猫が仔猫を甜めるやうに、自分の舌で甜めて自分の子供の身體を綺麗に洗つてやると云ふことである。

第三十圖南歐羅巴に在る中世紀の建物にはザラにあるグリツホイン（註、鷲の頭と翼をもち獅子の身體をもつた怪獸）の一つである。大きな方の絵は巴里のノートルダム寺院の屋根にあるもので此種の多少形の變つたものはセントルイスのデセールス寺院の上にも見ることが出來る。

下圖はラスキンから復寫したもので、ベエニスの聖マリア寺院の屋根飾りであるとのことだがヴェニスの町へ行くと此れと同じ様なグリツフインは至る所で何百でも見ることが出來る。

女の體の凡ての部分に接吻することは、共道の研究家悉くによつて、常態的な性愛技巧であると認められてゐる。一九一四年巴里で起つた有名なカイヨー事件の裁判の時に、カイヨーがその妻に送つた手紙が證據書類として提出されたが、その中でカイヨーは『私はお前の崇むべき身體の凡ての部分に億千萬回の接吻を捧げるおゝ可愛いお前よ。私はお前のものだ……』てなことが書いてある。

印度では Lingkm とヨニ、及びその二つの種々な結合が何百萬と云ふ多數の信者によつて崇拜されてゐる。シバとサクテイ、カリとの結合がその代表的なものである。主要な儀式のある時には、婦人の節操を崇める爲に、若い美くしい踊り妓、又は尼僧を素裸にして神前に捧げることゝなつてゐる。これはヨニ女神であるカリの生きて化身であると云ふことを意味するのである。この裸にされた娘の生々したヨニに對つて、坊主はいかしめい顏をして崇拜の禱辭を捧げる。娘は神聖なシムボルをすつかりさらけ出す爲に、兩股をグツと押し擴げて祭壇の上に坐つてゐる。聽て坊主は近づいてヨニに接吻をし、それから彼は、『アーガ』と呼はれる神聖な容器（これもヨニの形をしてゐる）に入れた御供物と御造酒とを供へる。是等の供物を生々したヨニにちよつと觸れることによつて、その奉献が濟むと、其等の供物は來會した信者一同に分配される。信者は宗教上の神聖な式としてその供物を頒けて貰ふのである。是と似た例は、メキシコではフイツツイロボクトリ神を崇める爲に供物の菓子を頒け、中世紀の歐羅巴では奉献された陽物の形をした菓子を頒け又キリスト教の儀式では聖餐と稱して供物を頒けてゐる。

さて此儀式が濟むと讃美歌の合唱と舞妓の踊りが續くのであるが、其踊りは埃及の『腹踊り』に酷似せるものである。

斯の樣な崇拜の方法は第三十一圖のマハ、カリの像を能見ればわかる。（カリは破壞の男神シバの配偶である）彼女はペロリと舌を出して踊つてゐる。

日本の『エツド』（江戸？）の近くにヨニのシムボルである小洞があつて、其中には實に偉大であつて、而も眞に迫まる大ヨニの彫刻が安置されてをり、巡禮者は、昔と同樣今日でも必らずこのヨニを禮拜してゐる。そして此彫刻物は信心深い禮拜者の舌によつて昔から幾百千萬回となく接吻され愛撫された爲に、今はツル／＼に擦り耗らされて磨かれた樣になつてゐる。

第三十二圖は埃及の或寺で發見された珍らしい柱であつて、ローリンソンの摸寫したものである。開いた蓮の蕾は Lingam のシムボルであり、二つの蓮の蕾は睾丸である。是等の男性のシムボルの頭は孰れもその舌が隆起してゐない。正面に(そして恐らくは裏の方にもある頭は舌も出してゐるが、その下の方にある卵形のヨニが、そも〳〵崇拜の御本尊であらうと思ふ。

アジア人種の或る者は、お客さんに行くと其家の主婦のヨニに接吻したり又は手土産をヨニに一寸觸れるさうである。それはよき待遇に對する感謝の表現であると云ふ。

第三十三圖を見よ。これは埃及の或寺に在る彫刻の圖であるが、我々はこの中に、シストラム(即ち處女と貞節のシムボルである横木を打つたヨニ)を禮拜してゐるフータを見ることが出來る。水揚げの神と云はれるフータは手淫を行ひ、舌を出して甜める眞似をし乍らシストラムに滿腔の禮拜を捧げてゐるではないか。

シリヤには奇妙奇天烈な宗教――ネザールがある。彼等の宗教は腐亂墮落したキリスト教とアジアの性崇拜教とがゴッチヤになつた奇怪至極な混合教である。彼等は神を崇拜する。然しキリストはモハメツドの樣な單なる豫言者に過ぎなかつたと信じてゐるのである。彼等は舊約全書の豫言者たちに祈り、新約全書の使徒たちに祈り、更に聖母マリアに祈禱を捧げる彼等は一夫多妻主義を實行してゐるのである。

彼等はいくつかのお祭をする。そしてその中で最も壯嚴且つ盛大なのは『子宮祭』である。此祭の日には、彼等は彼等の宗教の最も神聖且つ嚴肅な樣式を擧げる爲に、定められた禮拜の場所へと集合する。そして先づ婦人は自ら一人のこらず素裸になる。すると男たちは嚴たる敬禮を拂ひ乍ら、恭しやかに彼女等の前に膝まづき、彼女等の股を抱き抱きかゝへて、いとも敬虔且つ神妙な態度で彼女等の腹と生殖器とに接吻するのである。この仕科は各組毎に思ひ〳〵に雜然とやるのである。此樣な特異な信仰の相からして、彼等は『子宮崇拜教信者』の異名を有難く頂戴してゐるのである。

さて此處に北米アラスカから持つて來たトーテーム（北米土人の信仰の對象となるもの）の繪がある。（第三十四圖）廣く擴げた二本の脚を見て貰ひたい。是は女脚である。何故とならば、この柱にはヨニのシムボルの貼札があり、兩の脚に横から見た乳房の繪が書いてあるからである。

アラスカの美術家は脣と舌とで行ふ禮拜の方法を表現する方法を知らないと見える。乃で顏がアベコベに向けられてゐる。併し舌のある丁度ヨニの有る邊りである。顔をクルリと後ろ向きにする、この舌は丁度ヨニをペロリと甜めるのである。此トテムの模型は市俄古の世界市にあつたが今はフイールド博物館にある筈である。

此の禮拜方法は世界的なものであると見える。何故ならば此方法は兩大陸を始め太平洋の諸島等『北は氷山寒きグリーンランドから、南は珊瑚礁連なる」印度に至るまで、何處の國にも發見出來るからである。第三十五圖は中央亞米利加ユカタンのアヅテツク寺院で發見した同じ様な仕科の繪である。第三十六圖もアヅテツク寺院のもので此繪では蛇體を崇拜する爲に婦人も同じ様な顏かたちをしてゐるのを見ることが出來る。

お次は同じ地方の『アヅテツク、サン』卽ち石に刻んで暦であるが、第三十七圖は墨西哥はゾチカルコに在る一記念碑の一部分である。彫刻は十字形となつてゐる。此繪について或る著者が次の様に述べてゐる。

『メキシコにある記念碑は凡て、舌を出した繪がついてゐる。それは光と熱とを此地上に齎らすことを寓意してゐる』と。

我々が更によい注釋の持ち合せが無かつたならば、或は恐らく此著者の解説を受け入れたかも知れない。然しペロリと出した舌の眞下、中央に、はつきり之がかゝれたヨニを見る以上、容易に其著者の意見に從ふわけにはゆかぬ。此處に見えるヨニは東方大陸の彫刻に見るものと同一であつて、此繪は、創造的で且つ生殖力に富む女性――而も日の神を敬ふ永遠の女性の天質たるヨニによつて、シムボライズされた處の女性――に對する男性の敬虔な崇拜の様を現はしたものと解すべきであらう。

太洋州に於ても同じ樣な崇拜が行はれてゐる。此寫眞（第三十八圖）は極めて緻密な彫刻を施こしたニユジランドの或家の窓縁であるが、オークランドで發行された或る雜誌から採つたものである。此雜誌の編輯者は、此繪の主要な所がマオリの少女だと思つた爲に、不幸にして窓縁の上の方を切り取つて仕舞つたらしいが、而此彫刻した窓縁の中には同じ樣な崇拜を雄辯に物語る資料が充分殘されてあるのである。（註、圖の中央最上部に舌がハツキリと見える）

私は嘗て第三十九圖に示した樣な壁紙を見たことがある。それは蝦茶色の地に黄金の模樣を置いた高價な美くしい紙であつた。半人半羊獸(サタイア)首をよく見て貰ひたい。色が色だから寫眞は殘念乍らよく見えぬかも知れぬ。乃で其模樣を白い色で塗つて大きくして見るとよくわかるのである。(第四十圖)きしようぶの花で現はしたのは陰莖である。そしてサタイアの頭は舌を吐き出して今や將に女陰を甜めまはさうとしてゐる。どの足もどの足も今や女陰に屆かうとしてゐる。

男性の代りに半人半山羊獸のサタイアを用ゐたことについては、ラスキンはウエニスの聖マリアの寺院にもその例ありとして述べてゐるが、この寫眞の意味は、女性と其處のヨニとを禮拜する爲に、男性自ら己れを卑しめて表現したと見るのが正解であらう。

此實行(註、甜めること)は今日吾々の間に於ても依然として廢れずに行はれてゐる。けれどもそれは宗教的の崇拜としてゞはなくて、唯單に愛撫の爲にである。

唇を以て性的愛撫が或人々によつて惡德なりと考へられてゐる一方、又他の人々は、唇と舌とを以てする別途の性的愛撫方法は極めて適當完全の方法なりと信じてゐる。誰か鳥の雌雄を知らんやである。

『生命の本』と題する珍奇なる著書の中で、シュアタは言ふ。

『人間の形體は我々の太陽系の中で、容の美の全能力を消盡してしまふ。(第四十一圖)更に美くしき曲線、楕圓形や圓錐曲線は幾たびも幾度も繰り返される。婦人の胸――『情愛』の像身の玉座――は、そのいみじき容の美を楕圓と圓錐曲線の兩つから抽出する概觀的に考察する時は、顔及身體の正面はより人の心魂を惹きつけ、背面は人を彈く、感覺器即ち目、耳、舌、鼻及觸覺は凡て前面に配置されてゐる。』

×此繪に示された如く、乳房と陰部はウエナスによつて支配され、臀部はサタンの惡性な治下に置かれてある。

そして又臀部は、人が侮蔑の意を表はさうとする時に『此處を甜めろ』『臀喰らへ』など、云ふ程に人から嫌忌される處であることを知らなければならぬ。

『顔の各の部分の肉體的用途は、凡てその心的用途――或る時は社會的機關として、又或る時は戀愛を囁く機關として――の基礎の上に置かれてゐる。（第四十二圖參照）母の愛情は子供の肉體的榮養と、直接に離れ難い密接な關係を持つてゐる。性愛の諸機能、即ち獻身、熱望、結婚と豔澤と云ふやうなものは、唇の赤い部分の量と廣さとに各の徵候を示すのである。唇は顔の何處の部分よりも一層感愛性の強い器關であつて此感覺は性愛の凡ゆる表情と最も密接な關係をもつてゐる。

『身體は其上に心が造られる處の基礎である。（第四十三圖參照）身體の機能の各區分は、その本質に於て、心の區分と軌を一にする。――そして心の區分は身體のそれに相當する部分と、行動する上に於て、最も密接なる共鳴を保つものである。頭腦の前方にある部分は、身體や手肢の前方の部分と結びつけられ、そして後方の部分は後方の部分と結びつけられてゐる。身體の上部と下部とは互ひに行動と共鳴とを繰り返してゐる。解剖學者は鼻と肛門とが互ひに關係があることを示した。又上唇は會陰と關係あり、口は生殖器（男女共）に、下は陰莖と陰核とに顎は陰毛に夫々密接に關係のあることを示してゐる……』

マアセリウス（西暦紀元四世紀代の人）は古代羅馬の貴族について

『誰でも途で逢つて挨拶を始めと（中略）彼等は接吻して貰ふ爲に膝や手を差し出した。』と語つてゐる。執拗いおべつか屋は彼等の股に接吻せんと試みた。然し乍ら御主人が性急に後ろ向きになつてしまふと、接吻は股の後ろの方に注がれ、終には臀部まで注がれるやうなことが珍らしくなかつたと云ふことである。（此章終はり）

世界珍書案内（一）

(Bibliothica Curiosr et Erstica)

宮廷史並びに風俗史追想録に關する稀書及贅澤版

フエーゼ――ベルニツツ――フリードリツヒ大帝に關するボルテールの著作――サロモンマイモン――チユルハイム伯爵夫人――シエーンホルツ――カステリ

フエーゼによつて著された貴重な又甚だ珍稀となた歴史の參考的著作は四十八卷より成りその第一卷については、ハインリヒハイネの如きも最大の讚辭を呈してゐる。自分は且てその叢書の全部を所有してゐたが、現在ホフマン商會發行の初版の最初と最後の輯を持つてゐる。

（一）ドクトル、エドアルド、フエーゼ著　プロシヤ宮廷及貴族史及並びにプロシヤ外交策

第一―第六部、六卷、小型ハオクタープ版總布裝（宗數改革以後の獨逸の宮廷史、第一―第六卷）ハンブルグ、ホフマン商會、一八五一年、六〇〇マーク。

有名なる珍稀本として一般より求められたこの著作について最近獨逸に於て最も熱心な出版業者であつたミュンヘンのゲオルグ・ミュラーがその夭歿する前この書物の再版に著手した。

（二）ドクトル・エドアルド・フェーゼ著、小獨逸宮廷史。

第一―第十四部、十四卷、小型ハオクタープ版（宗數改革後に於ける獨逸宮廷史、第三十五―四十八卷）ハンブルグ、ホフマン商會、一八五六―一八六〇年、一〇〇〇マーク。

有名な珍稀本として求められた著作。

× × ×

宮廷史は有名なベルニッツの追想錄及書翰の內容をなしてゐる。この追想錄及書翰に關して私は當時の美麗な革裝の五卷より成る珍稀なフランス版を手に入れた。

（三）（Pollnity; Mimos'res de Pollnity Uic!）

この書物の扇には一七四八年附で最初の所有者の姓名が肉筆を以てしるされてある。第一卷の扉には最後の所有者の署名がある。 30, April 1882 1, f 60. 第五卷の裏見返しには鉛筆を以てフランスの好古家によつて、次の如く書きつけられてある。 "5 Vol. f 15, Memoires interessants etrares." Gay の書籍解題書 Ouvrages de l'amour 第四版第二卷第八三六項並びに第三卷第一四六項には初版として一七二七年アムステルダム發行の十二オクタープ版の四卷をあげてゐる、又最近版としては一七四七年 G. Nourse Londres によつて編纂されたと云はれてゐる十二オクタープ版の五卷をあげてゐる、彼は各版共珍稀であると書いてゐる。（これは已に一八九七に於てである）

Hayn の書籍解題書ゲルマニヤエロチカはその第四版第六卷第二一七項にペルニツツ（カール、ルドウイ、グベルニツツ、一六九二——一七七五年）を「（美しきサクセン人）」の著者ペルニツツ伯爵の追想錄の獨逸譯、一八五三年伯林發行、八オクタープ版、色カバー附）及び「美しきサクセン人」の獨逸譯版（一八六三年、伯林發行、八オクタープ版、繪入カバー附）と共に揭げてゐる。

彼の書翰は未だ獨逸語に譯されてゐない。

×　×　×

其他プロシヤのフリードリヒ第二世時代の宮廷裏面史に次の如き表題の書物が一八七一年出版されてゐる。

（三）Lis Motines de Roi du Pruse du Voltasre　一〇〇マークハオクタープ版、五八頁第一頁目次。

フリードリヒ大帝はこの書物を「淫猥虚構」であるとし自身これに對して反駁してゐる。この書物の發行者は本書の第五頁より第十五頁に亘つて興味ある解題を掲げてゐる。

頗る珍稀本。

× × ×

又同時代に於ける一人の哲學者の追想錄なる「サロモンマイモンの一生記」は全く別種のものである。

ドクトル・マコブ・フロンメルに依り序文及註釋を附されミユンヘン、ゲオルグ、ミユラー書店より出版された。（一九一一年）表題赤及黑印刷、各版共絶版、特製版總革裝、ハオクタープ版、五一九頁（七――六十三頁、序文、マイモンの生涯）黄色縞入綠背革、三方金、表紙線入。

サロモン、マイモン（一七五四――一八〇〇年）

ポーランド系猶太人である彼は若年にして冒險的な亡命者として獨逸に來り、モーゼスメンデルスゾーン及カントと交つた。彼は獨學によつて該博なる學識を獲、哲學上の著名なる論說を著し又カントの批評を反駁することによつてケーニヒスベルグ人の視聽をいたく聳だたしめた。この書物はかの賤民制度より解放へ至るまでの推移時代に於ける猶太系ポーランド人を作者自分をすら決して假借するところなく驚くべき辛辣な筆致を以て描寫してゐる。彼はリタウエン猶太教の事情を（それは百五十年後の今日も尙依然としてゐる）自己の體驗と直接の觀察とによつて描いた獨逸語による最初の作家である。

サロモン、マイモンの後に於ては只ロシヤの作家バングロウ（首相ストルピンをキエフの劇場で狙擊したかのパングロウの伯父である）が等しく自らの體驗を通じロシヤ猶太人の生活に關しての傑作をロシヤ語によつて書いたのみである。

×　　×　　×

次の三冊の書物は風俗史として充分に興味あるオースタリーの追想錄である。チユルハイムの追想錄は初版であり、シエーンホルツ及カステリのものは再版である。

チユルハイム伯爵夫人の日記は原文はフランス語によつて書かれ、作者の經歷の僞らざる告白であり、自分自身の過失をさへ蔽ふことない。事實これは十八世紀末葉より十九世紀中端に亘る時代の上流社會生活の曝露記である。チユルハイム伯爵夫人はベルギーの出であつて、一七八八年に生れ、已に一七九四年には兩親と共にオーストタリーに來り、一八六四年歿するまで此地に留つた。

シエーンホルツの追想錄は舊オーストタリーのフランシス時代卽ちヨセフ二世及レオポルド二世兄弟歿後のかの誓約と羞恥との時代の深刻な解剖的敍述である。「傳說集」の作者の不可解な人格について發行者グギツツはこの二卷の追想錄の序文に於て述べてゐる。

今日では最早殆んど讀まれてはゐないがオーストタリーの正直者詩人カステリの追想錄は彼の名を、已に忘れられた彼の劇曲、詩よりも確かにより永く保つであらう。これは十九世紀ウヰンについての最も興味あり、又最も敎示的な書物である。

『カーマシヤストラ』No.2 別冊

別冊

萬古集

弓削朝臣狩高黑麿撰

○ハ男
●ハおみな
△ハよそびと
□ハ萬葉の古事

(第一編) 雅音五十首

○吾妹子は腕時計とり帶止のパチンをもとれり稍面照りて

○さら／＼と帶解放ち衣脫けば緋色肌着の立姿よき

○一重衣伊達卷纒ふ腰細の螺贏乙女の嫋くあるかな

○乳のあたり腰のあたりの樣見れば早吾胸のときめきてあり

○火戸に近き股の肉(シヽムラ)微の見せて枕邊近く足袋外し居る

●寶谷秘めに秘めにし吾肌を背子に見するか戀なればにや

●知らず顏に横向きはあれ吾背子よ女(オミナ)はなべて羞ろふものぞ

○怒り猪の猛るが如き勢もて火戸慕ひつゝ片待つみまら

○彌や逸る勇猛(ヤタケ)心を知るや妹など早／＼と臥床に來ざる

○はにかみてためらい乍ら妹は今うつむきがちに袖なぶり居る

●嬉しさは身に餘れども面ばゆく唯何とのふ心悸く〳〵
●戯れ書を見つゝ想ひし實事如何に佳からんと焦れてありしに
○太と硬き限りとなりし吾たけりそゝり立つ時こそばゆきかな
●烏羽玉の闇こそよけれ蕾破る若樹の櫻風に堪へねば
○香をのみぞ我に許すかなど燈し消さんと言ふぞ情け無の妹
○うつむきて羞ろふ妹の玉手引けば緋牡丹くづれ床に打臥す
●初なれや深山に咲ける白つゝじ知らぬ事もて背子に問はれじ
○敷妙の枕につきし妹は猶片袖かざし貌包みおる
○吾が片手枕の下に通はせて妹かひ抱き脚ひきよする
●斯る時便宜あしと吾背子は術無(スベナ)の我を疎まざるにや
○はにかめど穂に出づる心包かね嬉しきまざし我窃か見る
●吾命惜ましけくもなの戀なれば唯吾背子のするに任せん
○禍よかの手ざわりのよき此の乳房玉にもまさる妹が乳房よ

○白妙の雪の肌へよ常滑のつきだて餅の妹が膚へよ

●うまし男よ肌さわるさへ快よき輕きあまひを覺ゆるものを

○うまし女よがくて二人が常にあらば憂しと見し世の樂しかるべき

○見てあれば夢見心に妹は早目を細ふして惱み悶ゆる

●吾背子が乳を玩（アソ）べは腰騷ぎ火戸の戸柱動き亂るゝ

○顏と顏すりよする時髮の香と化粧の薫り我を醉はする

○鼻をさす若き女の持つ高薫り嗅げばみまらの彌そゝり立つ

●若き男も自から持つ香りあり吾今背子をうましとぞ嗅ぐ

△鼻息は逸みせはし眼やゝ潤みて赤きこゝの二人よ

□△下紐は赤駒越ゆる標結（シメ）ひし其故事の馬柵（セ）ともみん

○樂しさは山鳥の尾の長かれとみまら空ら振り火戸を弄ばん

○湯卷捲けばたゝめる足に力入れ今はの際にこたへつゝあり

○谷狹せの股のとびらを押割れば火戸の何處に指はふれつゝ

○手探ぐれば額のあたり丸く膨み世にも品佳き玉の門なる

○白壁に蝙蝠着きし如くなり實に美しき妹が股の毛

○例ふれば絹糸草の如くなり共生ひ方のきまりよくして

○齢ませて毛は多けれど品よくて下にあらなく上のみにして

□○吾妹子が毛桃の下に指さしてしづ心なくくじりて見んか

○核(ヒナ)先を擦れは堅し蠢きて小鳥の胸の肝(キシ)の如くに

□○吾妹子が馴る喜ぶ左手の我奥の手に泣くがあらぬか

□○底深き茜の浦に玉藻採る手にも餘れる潮雫かな

○二つ指押し入れ見れば火戸綴み湧き出つる水の嵩の多さよ

○若き女は下水清し滑め〳〵と塵一つなし玉溶けしごと

●夏池の草濡れ清水堰きあへず裳裾流れて汚れぬるかな

○探り見れば火戸の宮居は奥深みくさ〴〵のもの指にこたゆる

◐戯技(ザレワサ)は心地惡しと思はねど吾欲つしもの早く入れてよ

□○月待てば汐も叶ひつ舟もよし太き水棹に今漕ぎ出でん

（第二編）閨詩四十首

○双唇相合して粘着漆の如く
霊犀交響一脈の神氣電の如く通ふ

○阿嬌は輕く瞼を疊み艶姿微かに慄ひて
纖手他に縮る蟹の如くに

○相背め相吸ひ歃舌變り入り齒牙輕く囓む
測らざりき初心此術を解せんとは

●窃かに希ふ早く末枝を弄するを止め
何ぞ直ちに彼の靈物を深潭に放たざるやと

○機既に熟せり矣と忽ち體を埒ひて腹を合すれば

股間の一物高く擧り麒駿風に嘶くの狀あり

○時に霓裳透迤として花心露はれ
芳蘂開蓼一氣痴蜂を呑まんとす

○一物を緊把して孔口に充て徐ろに腰を遣れば
玉壁軋つて澁ぶる如く努力漸くに通ず

●夢幻茫漠喜惱快苦情緒廊の如く
噫身の措く所を如何にせんか噫

○嬌貌は西施の顰豐腰は楊姫の媚
吾今併せ得たり兩國色の態を

○一進一退意を用ゐて反復すれば
玉道漸く迫らず摩擦の妙感莖頭に徹す

○數出數退或は深く或は淺く
時に左し時に右し上すべく下すべく

○啣動數次數十次玉漿湯の如く湧き
　偶ま糸竹を鳴る猫舌水を嘗むる如くに
○閨阜軟草膨堤細池水豊踐底
　隆核多疣實に是稀有天成の好寶器
○鼎[illegible]蠕張して十州震ひ五島動ぎ來る
　締むるが如く吸ふが如く扼するが如く啣む如くに
○問ふて曰微快あるや否默々として答へず
　强ひて屢問ふ低聲答て曰く然りと矣
○又問ふ今にして止めんか答曰否
　問ふ猶行ふべきか答曰此れを欲すと矣
△○四肢捲くこと蛇の如く双腰偕調して搖き
　軟風颯々として靑羅紅裙飜り舞ふ
○豊頬更に紅を加へて目は糸の如く細く

喜悶快惱熱汗額に滲す栗の如くに
○初顔の耻態羞心今や消へて跡なく
天眞流露して放心熳爛たり矣
●思ふ嘗て春心に堪へず假りに指技を弄して悶を遣り
猶嫌焉として實感眞趣を憧憬せし日を
●今宵の好縁始めて知る人事の慼何ぞ想はん
中道にして猶此名狀し難き快覺あらんとは
●今にして悔ゆ往日徒らに逡巡躊躇して
此天惠の美祿を享くる甚遲かりし事を
○之を蕩兒に聞く梳笄は淡々蠟を嚙むが如しと
豈艶濃情の娘に初心の態を見ざるを奈何
○或は怪む既に墻を踰へ穴隙を鑽り了り
我に餘香を嗅がしめて先登の虛名を與ふるに非ざるやを

●吾が淨屈は嚴として神聖を有す
　是れ天神知る所言を休めて爲すべきを努めよ
●人に賢愚あり尻に鋭鈍あり皆天性に由る
　他の痴門の例を吾聴戸に議するの非禮を止めよ
○吾妄語を謝す何ぞ輕しく娘を疑ふものならんや
　初心猶此滋味なり却て吾希求に合するを歡喜するのみ
△痴語喃舌頓に止みて抑揚波瀾更らに大に
　撼天動地壯絶快絶の大景を現出し來る
△抱擁固きこと鐵の如く接脣烈しく鳴つて鼠の如く
　氣息は相競ひて烈風の大樹を搖するが如し
△大絃は嘈々として春風の如く小絃は切々として夏雨の如く
　一曲數調天地相和し陰陽相整ふの時
○可憐の極愛戀の絶夢幻倥偬

撫して足らず甞めて足らず食はんか、將殺さんかな

○千縱の黄金蓮城の璧王者の榮陶綺の富

何物か此快樂に加ふるものあらんや噫

○此の一刻は是延年の美

百歳の壽何かあらん娘の爲めに妾も亦

△濛々たり焚臺の雨鬱々たり巫山の雲

髣髴として將に羽化登仙せんとす

△瞳は潤んで魚の如く赤く息は迸つて虹の如く白く

接身凝硬毛髮直立精根凸凹の一點に凝集す

△神心朦朧、恍惚として醉へるか如く痴なるが如く

嗚咽狂歔七搖八轉狼々として藉々として

△玉漿油の如く溢れて毛叢股間悉く濡れ

粘々滑々燈光に映れば七彩の異光を射る

△陽物遥かに益張り陰窩急に彌腫れて
心悸兩つながら急調亂打破るゝが如く
△佳境歡極つて互に强く壓すれば悚然として震ひ
九轉直下精漿脈々として宮口に注ぐ
△幽婉凄絶秋風索々として松を拂ひ
疎韻おつると雖も猶纒綿の餘情細やかなり

「未摘花」に露はれた婢女観

大曲駒村

（一）

川柳「未摘花」の總句數は、第一編から第四編まで都合二千五百五十一句（百韻は除く）其内同じ句で重出して居るもの七句ほどあるが、兎に角それ等を通覽すると、其性質上女性を對象とした内容のものが優に過半數に達して居るのは先づ當然の現象であらう。試にこれを分類して同種二十句以上に及んで居るものを擧げて見ると、先づ女房（嬶、内儀等も含む）の百三十餘句が大關格でそれから後家の三十八句、嫁（花嫁も）の三十五句、長局（お局も）の三十三句、乳母の三十一句妾（おめか、圍ひ等も）の三十句、娘（生娘も）の二十八句と云ふ順で、其外單に女としたものが三十九句と云ふに對し、男性の方では辛うじて亭主の二十五句位が一方の大關に据はる有様だから到底これでは角力にはならない。但し男子に當然の附屬物たるへのこを謳つたものは百八十餘句あるが、それを措いでまでの示威運動は玆には遠慮して置く。この場合、またそれが至當であらう。

さて、斯う數へて見ると女房の所謂嬶天下に歸するのであるが、其上にもう一枚優勢な女性が控えて居る。それは下女である。數の上から見ると彼れの百三十餘句に對し、これは二百二十餘句と云ふ素晴らしい優越で、何うも日の下開山横綱格は下女君を措いて他にない事になる。其處で自分は未摘花子が斯くも力瘤を入れた下女を祭壇に上げて、如何にこれを禮讃したか、言を換ゆるとこの下女を俎の上に眞裸に寢かして、何んなメスを未摘花子が揮つたかを知りたくなつた。それは獨り未摘花子のメスのみではない、當時のオール川柳子の鋭いメスであると同時に、またこの柳書の出た安永前後の世態人情觀子の大きなメスでもあるからである。

（二）

「未摘花」に一番跳梁して居るこの下女は、多くは下女の本名で其素顔を露はして居るが、時に

一四

は面白い假裝を施して居る。即ち相撲（或ひは伊勢原等の替名を用ひて居る事である。相撲（時に相州）は云ふまでもなく其本場の產地を指したもので、伊勢原は其主要の村名である。丁度米搗と云へば越後が其代表者であり、越後と云へば直ちに蒲原郡が聯想されるやうな關係に居ると思へばよからう。其他はした、又は通り名お鍋で呼ばれたものも多少はあり、戀とか色とかを結んだものもあるから、少々御念入り過ぎるかも知れないが、一寸自分が類別して見た結果を左に報告しやう（暗に下女を配役としたものは省略す）

下女	一八〇句
相撲	二一句
下女が宿	一〇句
下女か色	六句
下女が戀	三句
はした	二句
下女が文	一句

下女が兄　一句
下女が湯具　一句
下女星　一句
相州　一句
伊勢原　一句
お鍋　一句
計　二二九句

先づ斯んな處である。今日下女界を横行して居るお鍋の名が、これで見ると僅々一句にしか謳はれて居ないのは、字通りに今昔の感である。

其處でこれ等の句を、今度はもつと內面的に腑分けをして見やう。いや腑分けは未摘花子のメスで既に濟んで居る事たから、先づ其腑分けしたものを、つまり肉は肉、血は血、臓腑は臓腑と自分は區分して見るのである。

（全句は省略する）

（三）

以上羅列された下女と云ふ下女は、仔細に檢分するまでもなく、誰しもの眼に先つ彼女等の總てを通じて流れて居る或る物が映ずる。それは云ふまでもなく彼女等の生命とも見られる卑猥の血である。何の下女を引つ張り出して來て見ても、皆無花果のやうに熟み、林檎のやうに膨れた頰や、其四肢五體には、觸れなば迸らんばかりの其淫媟の血が滾つて居ないものはない。未摘花子は、第一に四點を見逸さず高調して居る。

一　多淫性を詠んだ句

これは殆んと下女に關する全部の句を擧げなければならない程であるから、玆には其最も代表的とも云ふべき痛快な句だけを拔いて見る。

手を取ると下女鼻息を荒くする
もうしてはやらぬと下女は威される
引つ付けた樣な目付で下女よがり

苦しがる下女を四五番して助け
夜ツぴといへのこだらけな下女が部屋
口說かれて下女開いた口へのこなり
好きな下女所を聞けば小坪なり
ちつとづゝ毎晩しなと下女は云ひ
好きな下女咄はあとでしなと云ひ
下女が守本尊まい出し地藏
口留のたんびに下女は色が殖ぇ
相模下女口よごしたとしがみ付き
重寶な穴の開いてる相模下女
ふとい下女德入きまへ這つて來る
席書のへのこを下女は壺へ張り
手と足で來るのを下女は待つて居る

股ぐらで蟲酸（むしず）の走しる相模下女

ありやうは下ずづき〳〵

あたるもの幸に下女させるなり

格外に大安賣を下女は出し

口說かれて下女上ハ水をこぼす也

ざらにさせるを大通と下女思ひ

あれにさせこれにさせ下女小袖着る

掃溜を下女よくなつておつ潰し

下女が戀ひとをり二人三めのこ

下女が湯具なめつくぢりがのたを打ち

チョッ〳〵と仕て呉んなよと相模云ひ

一番でもう置くのかと相撲云ひ

二三日間がありや相模恨み佗び

仕て呉れないと取り付くと相模云ひ

押し寄せて來ても相模の女武者

一番でいゝかと相模あとねだり

額にあつたらよからうと相模云ひ

睪丸も毒でなくばと相模云ひ

相州の住股ぐらのみだれ燒

伊勢原を置いたで店がこんがしい

まあこの位にして置く。そこで相模であるが、下女も本場の相模產となると、この多淫性が一層濃厚の度を增す。だから一ト口に相模と云ふとこの下女の代名詞であると同時にまた多淫の表徴になつて居る。小坪も相州の一村名である。

玆に多淫と云ふても、妙齡に達した一般の婦女子と何等逕庭のない、しほらしい者もないわけではない。

物思ひ下女親椀へ汁を盛り

口説かれて下女おふくびを付け違ひ

口説かれて下女雜巾をあてつつぎ

これ等は其一例であるが、元より類句は尠ない。

斯かる下女の多淫性は、そも〳〵何に基因するか。それ等に關しては未摘花子は、彼女等の心臟に深くメスを入れて居ない。いやメスは入れたが、其血液細胞の檢鏡まではしなかつたらしい。

氣の弱い下女アレにさせコレにさせ

餘りさせたがるも下女蟲のせい

病さと相模つれない評が付き

いんらんの巾着相模持つて居る

強いて求むれば先づ斯んな處である。然し此處まで溯つた詮索は、實は未摘花子の任ではないのである。

（四）

下女の多淫性に關して、それなら未摘花子に至つて其原因に無關心てあつたかと云ふと、中々以つてさうではない。彼れは、それを彼女等階級の先天的——いや後天的、即ち因襲性と見て居るらしいが、結果としては彼女等の無智に歸着さして居るやうである。

二　無智を詠んだ句

玆に無智と云ふた意には、一面に原始的と云ふ事も含まれて居るし、他方にはまた其低腦と云ふ事も立派に加味されて居るのである。

後家の下女鵜の眞似をして逐ん出され
八九人べい來ましたと下女は泣き
晝寢下女大根をぬいてどいつめが
ざいご下女銚子比目魚の味がする
眠むい下女されたも夢中作右衛門
はなくたな下女おひやぐろが出ぬと云ひ
眠むい下女車掛りを夢のやう

牡丹餅をなぜしたと下女大口説
歌がるた下女股ぐらへやたら入れ
見て來たか下女雪隱で指を入れ
嘘をやと下女甘たるい目付をし
冥加錢お心もちと下女させる
ひどい事下女三文で子をおろし
どろぼう〳〵と下女心變り
せつなさに下女毛の中へ灸をすへ
四目屋の試みに下女されるなり
しなさつた朝はげんじうしいと下女
井戸端で身振りが過ぎて下女すべり
下女あまりこそぐられたで一つひり
へのこ屋が參りましたとはした云ひ

右の内『鵜のまねをして逐ん出され』たのも其一例であるが、無智は直ちに境遇に支配され周圍の奴隷となる。

枕繪をのぞいて下女はけしからや
小便に起き付け入りに下女される
一疋の相模に雄が五六疋
屁をひつて姿は下女に一歩やり
何か付けてはしやすよと圍ゐ下女
圍ひ下女二番する程外すなり
後家の下女穴堀りなどゝ深い中
後家の下女納所の部屋で數珠を切り

斯んな風であるから、下女は共處等のドラ共には最も與し易いものと見られた。

片見月せないものだと下女へ這い
浮氣なら嫌さと下女はぬかしたり

二四

物な云ほせそ亂れ入る下女が部屋

仕たいときや何時でも云へと下女に云ひ

下女が屁をかぶつた晩に口說くなり

書き賃に晩に行くぞと下女が文

白酒に醉ふてゝ下女はさせ納め

させたのが惡いと下女にむごい評

お祭の最中藏で下女渡し

下女ならば手輕いなどゝ色男

錢のなさ下女にびろ付くやうになり

下女と寢た晩おそろしく持てる也

もう己レは嫌だと下女を替り合ひ

その結果、女難も女難下女難に逢ふた者さへ出來たのは滑稽であつた。

一度して息子は相模難に逢ひ

これを相模難と命名したのは流石に我が末摘花子である。この難は、軈て下女の宿元からも湧いて來る。

ずばらんで居ますにとにぢる下女が宿
たんとした奴がめどだと下女が宿
し放しは御無體様と下女が宿
せないとは御無體様と下女が宿
もう外の仕手はなしかよ下女が宿

この宿の方から來るものは皆苦情で、女難とは一寸性質が違ふが、感じの上では最もこれがよろしくない。そこで

恩へらく下女をとあとの六かしさ

と引つ込み思案をする男もたまには出て來ると云ふものである、そうかと思ふと

いつ己レにさせたと下女とたゝき合ひ

をはじめる所謂豆泥棒も飛び出すから可笑しい。

（五）

下女の請宿が、手を付けたり孕ませせたりした本人――多くの場合主家――へ苦情を持ち込み、幾らかの金にしたいと强請するのは先づ當然の權利と云ふ處であらうが、下女が其相手に向つて賞女のやうに手管を用ひるに至つては、其無智文盲よりも寧ろあはれ憫然の至りである。玆に手管と云ふたのは、直接金品を無心の意である。

三　乞食根性を詠んだ句

客――ではない色の相手に對して、鼻を鳴らしながら物品をねだる事は、確かに彼女等に乞食根性の潜んで居る證據である。

裏表下女二タ晩にねだり出し

ふてい下女一番すると何ぞ呉れ

させたからサア呉んなよと下女せつき

憐愍でしてやるに下女ねだり事

下女が股ぐらに一分の出入出來
多少には限らずと下女無心なり
景物を見てから下女はさせるなり
仲條へ行くにふんどし下女ねだり
松茸を握つて相模ねだるなり

女郎の手管も取りやうによつては一寸興ある事であるから、たまには馬鹿になつて絞らせると云ふ手もある。それでこの邊までは先づ〳〵可愛いゝ處がない譯でもないが、少し圖乘つて來ると、時には非道い事をたくらむ奴が現はれる。

怖い下女噓腹帶をしてねだり

立派な強喝、詐僞である。こんなのが百人に一人でもある爲めに

妾のはねだり下女のはゆするなり

と云ふやうな總評が下る。そして結果は、彼女等は一般に橫着者扱ひにされる事となる。多淫、無智、橫着……斯かる概念の下に置かれた彼女等は呪はれたる哉である。其處には果して何物が爪牙

を磨いて待つて居るか。

（六）

何と云ふ痛切な報酬であらう。一騎打を危うしと見て取つた弱くして荒い野郎軍は、今や味方の衆を恃んで彼女等の一人一人に暴行を加へ出した。

四　受難を詠んだ句

甚だ氣の毒には相違ないが、これは先づ避け得ない受難であつた。そしてこの暴徒の爪牙は、主人の大きは眼よりも常に彼女等の身邊に鋭く光つて居た。

むごい事下女仕ては退き〱
槍ぶすま程で取りまく下女が部屋
闇の下女よい〱で行くむごい事
ぬか袋頬張つて下女腰が抜け
八九人頬冠りして下女を待ち

むごい事下女股ぐらを開け渡し
一番づゝで堪忍と下女詫びる
跡札は殘らつしやいと下女はされ
是切りて濟むわ泣くなと下女はされ
災難は替りごつこに下女される
下女難儀引摺り込んでかゝり舟
腰拔けの下女茫然と麥畑
くやしさは下女五人目へくらい付き
入りかわる味方もなくて下女される
折り重なつて下女をするむごい事

要するに輪姦となつて現はれたのでゐる。下女に對する强姦は最もこの輪姦が多く、
じやも面に下女腕づくで二番され
等は全く稀有であつた。精々じやも面の男位であつたであらう。

だん〳〵に大きいでしたと下女は泣き

前ばかじやない後ろもと下女は泣き

この難に遭うた者の一部は、泣き〳〵訴へ出る。其處は主人や請宿の許ならいゝが法廷を煩はす事となる。因果應報、今度は又野郎が逆襲を蒙る。

腰拔けの下女お白洲で五人指

大岡越前守は、即ちこの五人を共同下手人として入牢申付ける。そして第一卷の終となる。

（七）

今度は少しく方面を替えて、彼女等の境遇に關して同情を表して見やう。

五　拙速主義を詠んだ句

彼女等には、元より主義の爲のと云ふ近代式な自覺などあつた譯のものではないが、其職責上自己の多淫性に滿足を與ふべく、何うしても簡易なる逐情、即ち拙速主義を取らなければならなかつた。拙速主義、譯して又ちよんの間とも云ふ。

乘せて居て下女は二タ聲返事する
澤庵を握つて下女はされて居る
早くして仕舞なと下女ひんまくり
おしい事まくる所を下女呼ばれ
もの申うに下女おしい所引抜かれ
用足して來た下女今の跡をさせ
間の惡さ下女一番を二度にされ
立て居てさせるが下女は上手なり
下女が色枕かわした事はなし
忙がしいかた手に下女は孕むなり
ちよつ／＼と立賓をする下女が戀

誠に墓なき彼女等の境遇ではあるまいか。然し人類は、須らく原始に歸つて、最もこの簡易生活に馴れなければならない筈かも知れぬ。但し

三二

下女が色湯屋へも四五度連れて行き

程度の安價は考へ物である。簡易は直ちに安價と云ふ事ではあるまい。

立聞が吹き出したので下女させず

よろしくこの程度の自重は緊要とする。

（八）

自重と云ふ言葉が出たから、その序に彼女等の自重心を檢鏡して見やう。

六　自重行爲を詠んだ句

以上の諸例に依つて見ると、彼女等は單に多淫の生物である外、他に何物をも所有して居ないやうであるが、彼女等も等しく女として生み付けられて來た以上、其處に多少は女の誇に似たもの位は藏して居た筈である。そしてその誇は、彼女等の操行の上に亦多少の自重を要する覺悟は與へたらしい。

下女の尻つめれば糠の手でおどし

よしなよと下女おはぐろの肱で突き

下女何を聞いたか翌くる晩させず

慾徳ぢやござりやせんと下女させず

不承知な不女澤庵でくらわせる

不承知な下女十本でおつぷさぎ

物置で下女澤庵を振り廻し

門涼み下女惡い事しなさんな

いけねいひやうたくれと下女藏を出る

仕やうと思へばまさかさせない下女

下女だとてちつと口說かにやさせぬ也

今までは下女を餘りに甘く見、愚劣扱ひの限りを盡した傾きがあつたが、この邊からは大いに買つて遣つていゝと思ふ。

　這はれるがうるさく下女は柏餅

更に感心なものではあるまいか。この場合

かたい下女むしつてやれと男共

は無法千萬、彼女等を墮落さしたものはこの野郎共の罪と云はなければならぬ。但し

させそうでさせない下女はお竹也

とあるこのお竹は、普通のお鍋とは事違つて、彼の大日如來樣の再來と云ふのだから、其志操の堅固なのは當然過ぎるほど當然である。

（九）

未摘花子の下女觀は大低これで要を盡くした積りであるが、猶ほ下女對主家（主人及び主婦等）の觀察を何う下して居るかを覗つて見やう。

七　對主人を詠んだ句

先づ旦那樣の方から形付けやう。

煎藥を頂けば下女ついと逃げ

下々心腰が痛いと下女を呼び

女房を三聲起して下女へ這へ

旦那でもさせおろしとは餘りなり

いゝ目見得口なめづりて旦那置き

後の二句は下女とは指して居ないが、確かに下女對旦那の句で、何れも皆下女に對する旦那は猅々親爺である。要するに下女の無節操は、その支配者に淫情を起させるものと見える。次はお内儀の方である。

下女が夜着借りて亭主にあやまらせ

女房の寢耳に下女のよがり聲

やく女房牛王を呑めと下女をせめ

鹽梅は下女がよいのでやかましい

論のもとござれ〳〵の下女を置き

類句は尠ないが、あるものは皆黑焼屋の女房ばかりである。これも原因は下女の多淫にあるらし

い。中には

かみ様へ忠臣だてに下女させず

と云ふ山の神信者もたまにはあつたやうであるが、これは餘程心懸のよい下女で、だんまりお神さんから御褒美をせしめて居るやうでもある。其他

入聟は下女と一所に追ン出され

お前様歩かれるかと下女が宿

と云ふがある。後句は、多分若旦那を取り持つて居るやうに見える。

（十）

其處で結論に入る。

こゝには分類する程の句も殘つて居ないから、餘錄くらゐな程度で擧げる。但し餘錄が結論になるのも可笑しいが、丁度結論に適したものが拾ひ遺されて居るから仕合である。

下女の多淫は其產地特有の資性と末摘花子は信じて居るらしい。相模などは其最も拔群な選手を

出した地で、

　　革籠脊負ひへのこ修業に相模出る

等と彼地の山河に敬意を表して居るが、元來剽輕な未摘花子は又彼女等の守本尊として指適したやうに、

　　下女が宿前出し地藏近所なり

と洒落れ、或ひは

　　下女が宿かはらけ町で覺えよし

等と喝破して居る。

　次に彼女等が無智の結果に對して

　　孕んだで下女は死物狂ひなり

と一掬の泣を注いて居る。未摘花子は、一見冷酷な無情漢のやうに思はれるが、決してさうではない。見よ、

　　手も足もはなして仕なと下女は泣き

三八

最後に、彼女等を無智と罵り、下司と嘲ひ、乞食根性と呶鳴り付けながらも、其生ひ立から環境の總ての彼女等に何等の恩惠も與へなかつたのを哀れんで、

させるのを入れると相模八辯也

と笑つた口から、いと容易に

させる外相模惡るげのない女

と飽くまで彼女等の味方となり、そしてその薄倖な一群の前途を祝福して、

下女の折させた男に袖屛風

と立派な母型の婦人に改造を試みて居る。

蚤十夜物語

紅霓女譯

なんぼ生れつき凡蔵な私だとて、現在、自分の目の前で、起つて居る出來事に對して、知らん顔をして居るわけにも參りません。常日頃に陪して一しほ鋭敏に五管を働かしましたそして我れながら馬鹿らしい程、兩頬を熱したのです。

私としても是迄に、不覺にも此樣に上氣したことは無かつた筈ですが、何といふ淺ましい心持をもつたものでせう。自分ながら蔑しまづには居られません。

だが、皆樣！　たとへ蚤だとて全身に血が通つて居る以上、今私がこゝに述べた樣な出來事を想像したゞけでも、頰を染めづには居られますまい。それあ人情ですからねえ。

何は兎もあれ、若くて、隨分無邪氣な娘さんです。でも――人は見掛けに依らないものです、そ

の内實はなか〳〵淫亂な尻輕家だつたのですから、

その上邊は、全く元氣な、そして美くしい娘さんは――全身やけ爛れるやうに燃えさかつて居る情火を偶然にも煽動されて、忽ち、噴火山のやうに恐ろしい勢で一時に爆發してしまつたのでした

そこで、私は、古風な詩人氣取りで、かう絶叫します。

「オヽ、モーセズ！」

でもこれぢやあ何んだか、いさゝか間が拔けて居るやうだから、今少しピンとくるやうに、敎長の後裔のつもりで、重々しく

「聖モーセズ！」

とでも叫びませう。

これ迄でに私がお話したやうな經驗をつむだベラーさんの身上に、其後大層今までとは違つた變化が起つたことは、今更申上げる必要もありますまい。それは明かに、彼女の態度や、行狀に現はれて來たからであります。

時に、ベラーさんの相手の若い戀人はどうなつたでせう？　私は其後の成行をさつぱり知りませ

んのみならず、亦、知らうとも思ひません、といふのは、師父アムブローズが、その訓令にそむひて甚だしい不屆きな所行をした若者に對してさう無情でなく、若者自らが進んで、その戀人のベラーさんを、馬鹿げた坊さんの慾望を滿たす爲めに提供しさへすれば許るされると、さう私は信じたからでありました。

扨て、いよ〳〵元へ戻つて、ベラーさんに對する私の觀察を續けることに致しませう。

たとへ、蚤が頰を染めることが出來ないまでも、私達は觀察する位のことはお茶の子です、で、私は早速ペンとインキを執つて、事實の記錄に興味を持つて居らるゝと信じられる皆樣の爲めに、私が是迄に經驗して來ました色戀の瞥見を總て認めることにしました。

私達はみんな筆を執ることが出來るのです、殊にこの蚤は特別に達者なのです、でなければ、皆樣の机の上に、此本が乘つて居る譯が無いのです、そうでせう。

それから數日過ぎた或る日のこと、ベラーさんは、再び、彼女がぞつこん惚れ込んだ僧侶の許を訪れました――遂に機會が到來した譯です、――師父アムブローズが期待して居たやうに、いとも速に彼女は彼の計略に乘じてしまつたのでした。

四二

ベラーさんは師父アムブローズを訪れたわけについててれ隱しに何とか理由をつけて、其跡を合せました、そこで、狡猾な相手は速刻美くしいお客を、前と同樣に迎へました。

ベラーさんは女たらしの僧侶と、たつた二人だけになつた時、いきなり相手の腕の中に體を横ざまに倒しかけ、彼の巨體をそのしなやかな體にすりつけ、やさしく彼を愛撫いたしました。

アムブローズだつて、彼女の温い抱擁に對し、報ひることを忘れは致しませんでした、斯くして二人の男女は、かはる〴〵その唇を押つけ合つて、熱いキッスを取かはしたのでした。そしてお互ひに向き合つたまゝ、そこに有つたふつくらとした、座蒲團をのせた、椅子の上に體を凭せかけました。

然し、ベラーさんは、接吻だけでは滿足いたしませんでした、もつと充實したものが欲しかつたのです、それは前にも經驗したことで、相手の師父のみがそれを與へ得ることを彼女は知つて居たのです。

アムブローズの方だとて、興奮せずには居られませんでした。彼の五體の血は煮えくりかへるやうに全身に溢り、そのどんよりとした兩眼は云ひしれぬ情慾に燃え、そして彼の突出した衣服に依つて、彼の思慮がかき亂されて居ることを、明かに展開して居ります。

ベラーさんは、相手の様子を早速見て取りました——その荒あらしい息遣ひ、は更なり、明瞭な勃起さへも——彼は少しもそれには頓着して居りません、ぢやあ、彼女はそれを見て逃げ出したでせうか？　いやもう、何う致しまして、彼女は反つて、相手の慾望を探求するやうにして、ならう事なら、それが減らないやうには出來ないものかと、心の底で秘かに考へて居る程でした。

間もなく、是以上の刺戟を要しないことを、アムブローズは、彼女に見せました。外でもありません、彼は落着き拂つて、その木のやうにシヤツキリと生へしこつた一物を、目前にむき出しに現はして、ベラーさんの淫心を狂氣のやうに取亂だしてしまつたのでありました。

いつも、アムブローズは、彼の試みる快樂に對して、愼重な態度を執つて來たのです、特に、これから取掛からうとする、この樂しい小さな獲物の細工には——

だが、今度といふ今度ばかりは、彼の思慮が、メチヤ／＼に狂奔してしまつたのです、そこで、壓倒するやうな慾望を、如何にしても、一時に抑制することが出來なくなつてしまひました、それ故、彼の[illegible]に提供された、若々しい愛嬌處を早速に賞味することに決心しました。

四四

彼は既に、彼女の體の上に覆ひ被さつて居ります。彼の巨體は、全く彼女を力強く壓して居ります。膨脹された彼の一物は、ベラーさんの下腹を固く推して居ります、そして、彼女の裳は、もう胸まで高く捲くり上げられて居りました。

打震ふ手先で、アムブローズは、その目的物の裂目の中心を擴げました――そして息差しせはしく、熱した深紅色の尖頭を――ヌラ〳〵と濕り切つた――パツクリと左右に口を開いた下唇の間へあてがひました。彼は、一腰強く、腰を押して、一物が入るやうに力めました――その努力はマンマと効を奏して、彼の一物はスツパリと目的物に嵌まりました……彼の偉大な道具は徐々に、だが無難に入つて行きました――そして、その頭と肩は既に影を沒して居ります。

一寸、規則だつた、巧みな推衝は、二人の結合を完了させました、で、ベラーさんは、大きな興奮し切つた、アムブローズの一物を、下腹深く、全部突込まれて仕舞つた譯です。

凌辱者は、一物を相手の、愛嬌處の奥深くへ吸ひ込まれ、その胴中を、キユツと喰ひ締められてハツハツと言つて、彼女の胸に吐息をついて居ります。

一方、ベラーさんも、その小ぢんまりした、お腹の中に、勢ひのいゝ肉の塊を詰込まれ、ドツキ

〱と烈しい動悸と甚しい熱さを感じました。ベラーさんは、そのむ・彼此する中に、アムブローズは、おもむろに腰を上下に使ひ始めました。ベラーさんは、そのむつちりとした象牙のやうに白い腕を、彼の頸に捲付け、美くしい眞綿のやうに、スベツこい両足で相手の腰をしつかりと引締めました。

「あれ、もう何といふ氣持のいゝことでせう」

とベラーさんはつぶやきました、そして、相手の厚ぼつたい唇に、有頂天になつて、接吻をあびせ掛けました。

「もつと腰を使つて――強く押してヨ。アレ、前が破れさうな氣がする――何て大きな一物なんでせう！　モウ熱くて――ドウモ――アレサ、妾しや――モウ――ソレ！」

と夢中です。

そして、急にベラーさんの子壺の奥から盆を覆へしたやうに驟雨が降下しました、一突毎に強い推衝を受ける度に――と同時に、頭を後へそらし、性交の痙攣的快感に堪へず、口を開いて、熱し切つた、呼吸をせはしく吐いて居ります。

四六

僧侶は、ぢつと自らこらへて居ります、彼は一寸一休みといつた形ちです、それは。彼のドキつく偉大な一物によつて、十分にその狀態を物語つて居ります。その理由は、出來るだけかうして置いて、その快感を永引かせやうといふのです。

ベラーさんは、その開中の臟物で恐ろしい一物の胴中をギューッと締付けました。すると一物は今までよりも大層固くシヤッキリとしてきて、彼女の柔らかい子壺の首を紫色の頭で突揚げましたすると、忽ち、彼女の扱ひにくい相手は、その快感を堪へることが出來なくなつて、熱烈な大狎聲と共に、全意識を忘却し、布海苔のやうな、ネレ固まつた情の水を、おびたゞしく出しかけました。

「アレ、モウあなたはお出しになつたの」

と娘さんは上づゝた聲で言ひました。

「フフッ、妾しやあなたの氣のいくのがわかりますわ。ソレ！　モット！　出してモットーーモットーー注ぎ込んで下さいヨウーーきつく押して、それで止めちやあいやヨ！　ネ、モット澤山出して！　エ、モウいつそ突いてーー突き殺して下さいましーーだがもつと有るだけ氣をやつて下さらなきやあいや」

と狂氣のやうになつて身をもがいて居ります。

私は、前にも一寸皆様にお話しましたが、師父アムブローズは射精力を多分に所有して居りました、それが現在彼の全身を凌駕する程堆積して居るのです。何故かと云ふに、彼は最早一週間以上も、それを排泄しなかつたのですから、そんなわけで、ベラーさんは、思ひ掛けない澤山な情の水を受け入れることになつたのです、まるで手動喞筩で、ジユウ〳〵と水でも注ぎ込まれる樣に、ほんとに何うして人間の一物から出るとは想像できませんでした。

やがてアムブローズは身を起しました、それに引續いでベラーさんも立ち上りました、すると今しがた注ぎ込まれたネバネバした精汁が、彼女のふくよかな腿を傳はつて、ダラ〳〵とゆつくり流れ下ります。

師父が一物を引拔いた瞬間に、寺院の入口の扉が開きまして、そして、その玄關に、二人の僧侶が突立つて居ります。あはてゝ隱れやうとしてももう遲ふ御座いました。

「アムブローズさん」

と二人の中で一番年嵩の僧侶が先づかう言ひました。年恰好は、さうですネ、凡そ三十から四十歳位までの間でありませう。

「これあ、我々の制定と特權に違背した行爲ではありますまいか、かうした事柄は、世の凡俗の行ふ處のものなのぢやが」

と如何にも嚴かでです。

「マアやつて御覧ぢやれ」

と紅潮した顔を上げながらアムブローズは申しました。

「これからお話したとて遲くも無からう――わしやあお主だちに今迄やり申した事柄を、委細お話しいたしませうぞや、したが――

「したが、この若いニハイバラのやさしい誘惑はそなたには餘りに荷が勝ち過ぎは致しはせぬかのう、友人！

と今一人の僧侶が叫びながら、その言葉のうちにも、ビツクリして居るベラーさんを捉へて、無骨なふくれ立つた、大きな手を彼女の着物の裾から突込んで、柔々とした股間を探りました。

「わしや、皆んな鍵穴から覗いて居つたぢや」

と野鄙な僧侶は、彼女の耳にさゝやきました。

「そなたは、そんなに恐ろしがることはない、わし達は、そなたを同じ様に悅ばせて進んぜようと思つて居りますのぢや、のうこれ娘！」

と申します。

ベラーさんは、寺院に於て心淋しい人々を慰藉する爲めに、彼女は出入を許されて居ると言ふことを記憶して居りました、そこで、これは彼女に對する、新しいお勤なのであらうと、さう考へました。

彼女は、そこで、相手に反抗せず、新入の二人の僧侶の腕の間に、體を横たへました。

とかうするうちに、その中の一人が、ふし立つた太い腕をベラーさんの胸に巻きつけまして、絹のやうな頰つぺたに、荒々しい接吻をいたしました。

アムブローズはバカゲタやうに赤面して立ち盡して居ります。

こうして、若い娘さんは、二ツの情火の間に、身を置いたのでありました、彼女の最初の所有者が、燻ぶつた情火に身を焦して居るのに一言の挨拶もせず。

彼女は何とかして、一時の休息を得やうと、それとなしに一方の僧侶から今一方の僧侶に眼を移しましたが、それは無駄でした、現在の苦境から彼女を脱出させる術は、遂に見出すことが出來なかつたのです。

何故ならば、御承知の如く、ベラーさんは、師父アムブローズの巧者な一儀に、全身を任かしてその自由になつたことゝは云ひながら、體が大層弱々しく感じられたので、新たに襲撃して來る二人の爲めに、彼女は殆んど壓服されはしないかといふ、怖れを抱いたからでありました。

ベラーさんは、相手の氣持を讀むことが出來ませんでした、その代り新來者の淫らな狂望を看取ることは出來ました、それと同時に、アムブローズが、總ての意識を奪はれて、只、無抵抗に、ボンヤリと、彼女を擁護もしやうとはせずに居るのを、ほんとに、齒がゆく思つて、心をいらだたせて居りました。

二人の僧侶は、今彼女をその中間に挾んで、始めからしやべつて居つた方が、彼の手を押し進めて、彼女の薔薇色の裂目を探ぐらうとします、今一方の僧侶も、何の容赦もなく丸々と太つた、お供へのやうな、彼女の尻の割目へ體をすり寄せました。

その間で、ベラーさんは、力なくぢつとこらへて居ります。

「マァ、一寸待たつしやれ」

と、さすがに、たまらなく成つたと見へて、アムブローズがかう口を切りました。

「若し、お主だちが、彼女をまじめに、樂しまさうと思はつしやるなら、兎も角、娘さんの着物を脱いでやらつしやれ、そしたら、お主達の意志のまゝに、自由に出來やうといふもの、それで彼女も着物を引千切られる憂ひもなくなることぢやらう、さもなくば、どうも、お二人は手荒くて、今にも、着物をズダ〳〵にしさうで、氣がもめてならぬわい」

「着物を脱ぎなされ、ベラーさん」

と彼は言葉を續けながら
「わし達で、おのしの體は共有しとりますのぢや、まあ、さう云つた譯なのぢやから、わし達の思ふ存分になりなさつて、一緒に愉快にして貰はにやならぬ」

「この修道院には、わしと同様に、氣むづかしやは、一人も居りませんのぢや それぢやに依つておのしの奉仕は、空扶持にはならぬのぢやよ、ぢやからのう、おのしは、常日頃、わし達の慾求を満長させる爲めに、特待されるといふことを、ようく記憶して居つて貰はにや、ならんのぢや、そしてのう、わし達僧侶連中の、燃ゆる情火をいつでも鎭めて下さるやうに、心掛けて居つて貰はにやなりませんのぢや、その方法は、おのしが充分心得て居なさる筈ぢやからのう。」

と、卒直に、ベラーさんへ言渡しました、其他の二人は皆口を噤んで何とも云ひませんでした。

ベラーさんは素裸のまゝ三人の性慾旺盛な僧侶の面前に立ちました。

かうして、ベラーさんが、一糸も纒はぬ、美くしい裸體姿で、コワゴワ立つて居るのを、しげしげ眺めた、がや／＼連中の歡喜は一時に破裂しました。

まもなく、今までしやべつて居た、新來者の、三人の中で、最も年嵩と思はれるのが、彼の情火の前に投じられた、美くしい裸體の犧牲者を見て、まてしばしも無く、已れの僧服の裾を開いて、太長い一物に自由を與へました、次に、彼は美くしい娘さんを、腕の中に抱き締めて、仰向にそつと長椅子の上に寢かしました、それから、なよ／＼とした、優しい娘さんの股間を左右に開いて、その間に已れのむくつけな體を、無遠慮に割り込み、氣短に、暴れ廻る勇士の頭を、柔らかい孔口

に當がつて、くつと一突腰を入れたと思ふと、そのまゝづぶりと根元まで押し込んで仕舞ひました
　この、新らしい、力ある武器で、強く突かれた時には、ベラーさんは、アレツ、ウフフと、さも
快感に堪へられないやうに、我れ知らずかすかな嬌聲をその可愛らしい紅唇の間から洩しました。
　美くしい娘さんを抱き込んだ、相手の僧侶は、たゞもう、フウ〱と有頂天になつて居ります。
そして彼女の小便臭い開の口で、暴れ廻る一物の根元をグツと喰ひ締められ、その心よさ加減に、
身の置き處もないやうであります。
　彼は、まさか、こんなに速く、彼女の前に、その一物か難なく入らうとは、豫期して居なかつた
のでした、何故なら、彼は、娘さんの開中に、前以て、したゝか情の水が注ぎ込まれて居たことに
氣がつかなかつたからでした。
　とは云へ、僧院長は（年嵩の僧侶）彼女の開中を檢べやうといふ暇は少しもありませんでした、
たゞこゝをせんどとばかりに大腰にスカリ〱と腰を早めて、一物に脈うたせ、彼女の淫心をいや
が上にも、搔き亂さうといたしました、その努力は忽ち報ひられて、ベラーさんの子壺の奥から、
ドロ〱ビヨク〱と夥しいよがり水が、はぢき出されました。

これあ、放埒な聖職者にとつては、あんまり好過ぎたもてなしぢやあ有りますまいか。彼の一物は既に、ふつくらとした、締りのよい、饅頭のやうな、彼女の開中に、深く埋まつて居ります、そして、今あびせ掛けられた、彼女の熱湯のやうなよがり水に、思はず身を震はせ、ウームと一聲重々しくうめくと同時に、勢ひするどくシユーツ〳〵と、彼女の子壺の口目掛けて、情の水をはぢき込みました。

ベラーさんは、恐ろしく強い、早瀬のやうに滔々と押し出される、僧侶の淫慾を欲しいまゝに嗜むことが出來ました。そこで、彼女は、兩足を左右にはだけ、一物をたつぷりと、腹の底まで屆くやうに受留め、相手に腰のぬける程、飽きるまで氣をやらせやうと致しました。

ベラーさんの底知れぬ淫亂な感情は、この二度目の一儀の終りに當つて、益々、增長して參りました、そして、興奮し易い性情の彼女は、二人の岩疊な勇士が注いだ、澤山なオミキの爲めに今迄にない非常な歡樂を盡しました。

然し、貪淫な彼女も、さすがは、引續く肉體上の責苦に會つて、全身にいさゝか疲れ果てた氣味を覺えない譯には參りませんでした、そこで、僧院長が退りぞいたら、早速そのあと釜へ立廻らうと今しもおさ〳〵、その準備に取掛つて居る、今一人の僧侶を、目撃するや、アッと云つて仰天いたしました。

それも其筈です、えらく、たくましい一物を露出した僧侶が、ベラーさんのすぐ目の前に控へて居るのですもの。

彼の服裝は、最早散々に亂れて居ります、そして、その臍の下の着物の合せ目からは、ニヨッキリと太い棍棒のやうな一物――如何にアムブローズのが、大いとて、是れには三舍を避けやうと云ふ――が顔を突出して居るのです。

ジヤリ〳〵とした、眞赤な捲毛の、ボツサリとした陰毛の中から、生つ白い肉柱が跳び出して居ります、その先には、テラ〳〵と光つた不氣味な、赤色の帽子を頂いて居ります、そして、其先端に固く密閉された孔口を持つて居ります、多分それは、無闇に液汁が先走しらぬやう喰止める爲なのでせう。

二個の大きな、毛だらけな、カシウ玉みたやうな、ふぐりがぶらりツと、くつゝき合つてその下から、ぶらさがつて居ります、これで一通り一物の全體の描寫は終つたわけです、この有樣を一目

五六

見たベラーさんの若い血は、再び煮えくりかへるやうに沸き立ちました、そして彼女は、矢も楯もたまらなくなつて、今一度、不釣合な交戰がして見たいと、あせり出しました。

「ネー、師父さま、どうしたさ姿しや、あの様な大きなものを、この姿の小さな孔の中へ、入れることが出來るんでせう?」

とベラーさんは、オズ〳〵しながら尋ねました、

「あれが入つたら、姿しやどうしてそれを持耐へやう、キッー姿の前が裂けちまふわ、痛いでせうネ!」

と彼女は、あらぬ事を考へながら、床の上へ眼を落しました。

「ナニサ、ベラーさん、そんなに怖れることはないワ、わしや充分氣をつけて致さうから! なヤンワリとやつて進んぜませう。そなたは既に、聖いお方々の精汁を、たんとお受けなされたのぢやから、川意はとつくに出來て居る筈ぢやらうに、氣遲れなこつちやわい」

と相手が慰めます。

かう言はれたので、ベラーさんは、覺悟して、そのしなやかな指先で太々しい一物なひねくり始

めました。

この僧侶は至つて醜くい男でした。

背の低い、麥酒樽のやうな體で、肩の巾なんどはまるで、ハーキユリーズ（怪力を有した希臘の神雄）のやうに廣々として居りました。

娘さんは、氣も旺はんばかりの淫情に捕はれました――彼の醜い容姿は只、彼女の慾火をあほるばかりであります――御覽なさい、彼女の掌では、相手の一物が摑み切れんぢやありませんか。

でも彼女は一生懸命になつて、それを摑まへて、締め付けたり、又は無意識に、上下にサツサツと擦り立て、一物を氣持よく、益々しやちこばらせやうと努力いたしました。

そのかひが有つて、相手の一物は、彼女の掌中に、鐵挺のやうになつて、ドツキ〳〵と動悸をうつて居ります。

遂に、三番目の相手は彼女の腹の上に、のしかゝつて來ました、ベラーさんは、一時にカーツとなりました、そして恐ろしい武器に、刺し殺されやうとあがきました。

一寸の間、この冒險はむづかしいやうに見えました、たとへ前の連中にしこたま滑液を注ぎ込まれて居るにもせよ。

それでも、狂暴な一衝に依つて、とう〳〵大きな一物の頭は開中に沒しました。

ベラーさんは、疼痛に堪へられず、ヒーツと一聲悲鳴を擧げました、それに耳も貸さず、殘忍な相手は己れの快樂をのみ追つて、ズブリツ、ズブリツと。何の容赦もなく、深く、淺く、突き立て押し込み、可憐な娘さんを責めにかゝりました。

ベラーさんは、餘りの苦しさに、絕え入るやうなうめき聲を立てゝ居ります、そして死力を盡して狂暴な相手から其身を逃れやうと、手足をもがいて居ります。

また一突されました、それに應じて、彼女の色のあせた唇の間から、弱々しいヒーツといふ聲が洩れて參ります、だが相手の僧侶は腰を益々早めるばかりです。

ベラーさんは、とう〳〵失神して仕舞ひました。この異常な淫行を側で眺めて居りました、他の二人の僧侶は、最初それを止めさせやうかと、近づいて行きましたが、何も經驗、かうした殘忍な享樂を、自分たちも試みたら、さぞ愉快なこと、だらうとふと思ひついたので、そのまゝ手をひきぢつと成行を、はたで眺めて居ることに致しました。

私は一時、こゝで、チヨン〳〵〳〵と木の頭を入れ、これから起らうとする野蠻極まる、淫らな芝居に幕を引くことにいたしませう。

勿論彼は――若い美くしい娘さんの禁斷の果實を、まんまと賞鑑して仕舞つたのです――そしてゆる〳〵と樂しみ拔いた揚句のはて、一息ほつと氣をやり、おびたゞしい熱湯のやうな、情の水をはぢき出し、スツポリ一物を引ぬいて、悶絶して居る可愛さうな娘さんに活を入れやうといたしました。

この岩疊な僧侶は、ベラーさんの前から、長い、ボツ〳〵と湯氣の立つて居る一物を引拔くまでに二度も氣をやりました、それ故、今一物を引拔かれて、パツカリ口をあいた、開の口からは、ダラダラとおびだゞしく淫汁が流れ出し、尻の割目を傳はつて、床の上へボタリ、ボタリと音を立てゝ落ちました、そして忽ち、そこら一面を時ららぬ洪水のやうにして仕舞ひました。

暫時してから、ベラーさんは、息を吹き返へしました、そして體の自由がきくやうになりました時、淫液に濡れしよびれた、大切な場所を、お化粧する爲め、沐浴を許るされました。

叢書エログロナンセンス第Ⅱ期

文藝市場／カーマシヤストラ　第3巻

2016年12月15日　印刷
2016年12月22日　第1版第1刷発行

［監修］　島村 輝（しまむら てる）
［発行者］　荒井秀夫
［発行所］　株式会社ゆまに書房
〒101-0047　東京都千代田区内神田2-7-6
tel. 03-5296-0491 / fax. 03-5296-0493
http://www.yumani.co.jp
［印刷］　株式会社平河工業社
［製本］　東和製本株式会社
落丁・乱丁本はお取り替えいたします。　Printed in Japan
定価：本体15,000円＋税　ISBN978-4-8433-4855-0 C3390